Einaudi Tascabili. Stile libero
457

Carlo Lucarelli
Almost Blue

Einaudi

© 1997 Giulio Einaudi editore s.p.a., Torino

Lavora per «Stile libero» una squadra composta da:
Carlo Antonelli, Andrea Aparo, Emanuele Bevilacqua, Daniele Brolli,
Claudio Ceciarelli, Vincenzo Cerami, Paolo Collo, Fabio De Luca,
Giulia D'Agnolo Vallan, Marco Lodoli, Carlo Lucarelli,
Pierfrancesco Pacoda, Alberto Piccinini, Giuseppe Salza.

www.einaudi.it

ISBN 88-06-14304-2

Almost Blue

Il primo carabiniere che entrò nella stanza scivolò sul sangue e cadde su un ginocchio. Il secondo si arrestò sulla soglia come sul bordo di una buca, agitando le braccia aperte, per lo slancio.

– Madonna Santa! – urlò, serrando le guance tra le mani, poi si voltò e corse nel pianerottolo e giú per le scale e oltre la porta e fuori, nel cortile del palazzo, dove si aggrappò al cofano della Punto bianca e nera e si piegò in avanti, spezzato in due da un conato violento.

In ginocchio sul pavimento, al centro della stanza, la pelle dei guanti incollata al pavimento appiccicoso, il brigadiere Carrone si guardò attorno e gli sfuggí un singhiozzo roco, quasi un rutto. Provò ad alzarsi, ma scivolò sui tacchi, cadendo indietro sul sedere e poi su un fianco con uno schiocco umido e vischioso. Cercò di appoggiare la mano ma il braccio gli scappò di lato, lasciando una strisciata piú chiara sulle mattonelle rosse. Finí con la schiena a terra, senza riuscire a sollevarsi, come in un incubo.

Allora serrò gli occhi e mentre annaspava impazzito, sbattendo gambe e braccia come uno scarafaggio nero rovesciato sul dorso, tra schizzi densi e tonfi appiccicosi, spalancò la bocca e cominciò a urlare.

Parte Prima
Almost Blue

> *Almost blue almost doing things*
> *we used to do.*
>
> Quasi triste quasi facendo le cose
> che eravamo soliti fare.
>
> ELVIS COSTELLO, *Almost Blue*.

Il suono del disco che cade sul piatto è un sospiro veloce, che sa appena un po' di polvere. Quello del braccio che si stacca dalla forcella è un singhiozzo trattenuto, come uno schioccare di lingua, ma non umido, secco. Una lingua di plastica. La puntina, strisciando nel solco, sibila pianissimo e scricchiola, una o due volte. Poi arriva il piano e sembrano le gocce di un rubinetto chiuso male e il contrabbasso, come il ronzio di un moscone contro il vetro chiuso di una finestra, e dopo la voce velata di Chet Baker, che inizia a cantare *Almost Blue*.

A starci attenti, molto attenti, si può sentire anche quando prende fiato e stacca le labbra sulla prima *a* di *almost*, cosí chiusa e modulata da sembrare una lunga *o*. *Al-most-blue...* con due pause in mezzo, due respiri sospesi da cui si capisce, si *sente* che sta tenendo gli occhi chiusi.

Per questo mi piace *Almost Blue*. Perché è una canzone che si canta a occhi chiusi.

Io, con gli occhi chiusi, ci sto sempre, anche se non canto. Sono cieco, dalla nascita. Non ho mai visto una luce, un colore o un movimento.

Ascolto.

Scandaglio il silenzio che mi circonda, come uno scanner, uno di quegli apparecchi elettronici che spazzano l'etere a caccia di suoni e di voci e si sintonizzano automaticamente sulle frequenze occupate. So usarli benissimo, gli scanner, quello che ho dentro la testa da venticinque anni, fin da quando sono nato e quello che tengo in camera mia, accanto al giradischi. Se avessi degli amici, se ne avessi, di sicuro mi chiamerebbero Scanner. Mi piacerebbe.

Io di amici non ne ho. Per colpa mia. Perché non li capisco. Parlano di cose che non mi riguardano. Dicono *lucido*, *opaco*, *luminoso*, *invisibile*. Come in quella favola che mi raccontavano da bambino per farmi dormire, in cui c'era una principessa cosí bella e con una pelle cosí fine che sembrava *trasparente*. Ci ho messo tanto, tante notti sveglio a pensare, prima di capire che trasparente voleva dire che ci si poteva guardare dentro.

Per me significava che le dita ci passavano attraverso.

Anche i colori per me hanno un altro significato. Hanno una voce, i colori, un suono, come tutte le cose. Un rumore che li distingue e che posso riconoscere. E capire. L'azzurro, per esempio, con quella *zeta* in mezzo è il colore dello *z*ucchero, delle *z*ebre e delle *z*anzare. I *v*asi, i *v*iali e le *v*olpi sono *v*iola e gi*allo* è il colore acuto di uno stri*llo*. E il *n*ero, io non riesco a immaginarlo ma so che è il colore del *n*ulla, del *n*iente, del vuoto. Però non è solo una questione di assonanza. Ci sono colori che per me significano qualcosa per l'idea che contengono. Per il *rumore* dell'idea che contengono. Il verde, per esempio, con quella *erre* raschiante, che gratta in mezzo e prude e scortica la pelle, è il colore di una cosa che brucia, come il sole. Tutti i colori che iniziano con la *b*, invece, sono *b*elli. Co-

me il *b*ianco o il *b*iondo. O il *b*lu, che è bellissimo.
Ecco, ad esempio, per me una bella ragazza, per
essere davvero bella, dovrebbe avere la pelle bianca e i capelli biondi.

Ma se fosse veramente bella, allora avrebbe i capelli blu.

Ci sono anche colori che hanno una forma. Una
cosa rotonda e grossa è sicuramente rossa. Ma le
forme non mi interessano. Non le conosco. Per co-
noscerle bisogna toccarle e a me toccare non piace, non mi piace toccare la gente. E poi con le dita sento solo le cose che ho attorno, mentre con le
orecchie, con quello che ho dentro la testa, posso
arrivare lontano. Preferisco i rumori.

Per questo uso lo scanner. Tutte le sere, salgo
in camera mia e metto sul piatto un disco di Chet
Baker. Sempre lo stesso, perché mi piace il suono
della sua tromba, tutte quelle *p*, piccole e profon-
de, che mi girano attorno e mi piace la sua voce
che canta piano, come se venisse da dietro la gola
e facesse fatica a uscire e per farlo si dovesse sof-
fiare con tanto impegno da dover chiudere gli occhi. Soprattutto quel pezzo, *Almost Blue*, che io
punto per primo, anche se è l'ultimo. Cosí tutte le
sere e tutte le notti aspetto che *Almost Blue* mi scivoli lentamente in fondo alle orecchie, che la tromba, il contrabbasso, il pianoforte e la voce diven-
tino la stessa cosa e riempiano il vuoto che ho dentro la testa.

Allora, accendo lo scanner e ascolto le voci della città.

Io, Bologna, non l'ho mai vista. Ma la conosco
bene, anche se probabilmente è una città tutta
mia. È una città grande: almeno tre ore.

L'ho sentito una volta che mi sono sintonizza-

to sul CB di un camion e l'ho seguito per tutto il
tempo che è rimasto nel raggio del mio scanner.
Da quando è entrato finché non l'ho sentito spa-
rire all'improvviso, il camionista ha sempre parlato con qualcuno, guidato e parlato, guidato e parlato, per tutta la mia città.

– Qui Rambo, qui Rambo... chi mi copre? Sono appena entrato al casello di Rimini sud... occhio perché c'è la Finanza in uscita...

Qui Rambo... vieni avanti El Diablo... ho una
dritta per un pompino... tangenziale, uscita Casalecchio di Reno, angolo distributore... chiedere di
Luana...

Qui Rambo... chi sei, Maradona? Senti un po',
come sarebbe che El Diablo è incazzato? Non lo
sapeva che la Luana è un travestito? Se lo copri
digli che mi sto fermando a dormire al Parma 2 e
che lo aspetto lí... e che vada bene a farsi dare nel
cu...

Cessano di colpo le voci che corrono sulle strade, troncate all'improvviso. La mia città ha un pe-
rimetro netto, definito dal silenzio, un bordo, come quello di un tavolo sospeso nel nulla. Oltre il
bordo c'è un abisso che le inghiotte, piú nero del
nero. E vuoto.

A volte, invece, mi sintonizzo sulla centrale operativa della questura e ascolto la voce gracchiante
delle volanti. È come se stessi sospeso nel cielo nero della mia città e avessi decine di orecchie che
corrono dovunque, nel buio.

– Volante 4 a Centrale... abbiamo un incidente
grave sulla via Emilia... serve un'ambulanza con la
massima urgenza...

– Qui Volante 2... siamo davanti alla Banca Cooperativa... l'allarme suona ma non c'è nessuno...

– Fammi subito un terminale su questa targa...
A come Ancona, D come Domodossola...

– Allora... il giovane, qui, è senza precedenti pe-
nali ma la ragazza è minorenne e non ha i documenti... che si fa?

– Ricevuto... ci portiamo in zona...

– Overdose, cazzo... questo ci muore in macchina...

– Siena Monza 51... Siena Monza 51...

– Vieni avanti, Siena Monza...

– Allora senti, siamo in viale Filopanti, angolo
via Galliera e abbiamo qui una negra senza documenti...

La voce è forte, tutta di naso, come se avesse il
raffreddore. Dietro, in sottofondo, c'è il ringhio
verde delle auto che passano e quello sottile, ron-
zante e azzurro, dei motorini. Dietro, ancora piú
sotto, tanto che quasi si confonde con la tromba
di Chet Baker, voci acute, che pungono appena,
«no, io non viene... hai male, io non viene...» E
un'altra, piú forte, voce grossa, voce rossa, «oh,
sta' qui... dove cazzo vai? Ne vuoi un'altra? Eh?
Ne vuoi ancora?»

Quando voglio scendere e fermarmi ad ascoltare una storia, allora lascio che lo scanner si sinto-
nizzi sui cellulari.

– Che cazzo fa quello lí con le cuffie?

Musica, dietro. Lontana. Soltanto il pulsare
continuo di una batteria elettronica, filtrata da
qualcosa di spesso, forse un muro. Davanti, il fruscio verdissimo di un GSM e dentro un'altra voce,
dal fondo liquido, che gorgoglia appena sotto le *el-
le* e le *erre*.

– Merda se sono in cassa... pronto? oh, senti un
po', Lalla, dov'è il rave? Qua non lo sa nessuno...

– Che cazzo fa quello lí con le cuffie?

Meno liquida, questa, e piú appannata, fumosa, come velata da una nebbia densa. Sta a metà tra il pulsare lontano della musica e la voce che parla nel GSM.

– Oh, Tasso... che cazzo fa quello lí con le cuffie?

– Va' a cagare, Misero... che cazzo ne so? Sarà un buttafuori...

– Ha le cuffie da fonico...

– Allora sarà un fonico... pronto Lalla? Ci sei? Merda, Tasso... ha messo giú! E adesso chi ce lo dice dov'è il rave?

– Chiediamolo al fonico...

– Ecco, bravo... chiedilo al fonico e togliti dal cazzo... Pronto, Lalla?

– Oh, Tasso... non è un fonico, è uno schizzatissimo che dice di avere del gran fumo. Che cazzo ci farà quello lí con le cuffie...

Quando la storia non mi interessa piú, quando non la capisco piú, spingo il pulsante che cambia sintonia e vado avanti. Continuo cosí per tutta la notte, perché quando non puoi vedere la luce dormire di giorno o di notte è la stessa cosa. Continuo a scandagliare il nero, incrociando a volte il raschiare sottile di altri scanner che incontrano il mio. Ascoltando le voci della città.

Quando mi stanco, spengo tutto.

Silenzio. Solo il fruscio sottile del silenzio che mi ronza, piano, nelle orecchie.

Solo Chet Baker che canta *Almost Blue*.

– Che cazzo fa quello lí con le cuffie?

Sono nudo e ho freddo.

Guardo il mio volto riflesso nella pozza rossa che si è formata sotto il letto e vedo che quell'animale continua a corrermi sotto la pelle, deformandomi la faccia. Allora raccolgo da terra un pezzo della maschera che si è staccata dal muro, una di quelle maschere africane dal viso allungato, e ce lo metto sopra, per non vederlo piú.

Però le sento.

Le sento le campane dell'Inferno. Me le sento risuonare nella testa, sempre, tutto il giorno e tutta la notte e a ogni rintocco vibrano fin dentro le ossa, come se il mio cervello fosse lui stesso una campana viva che pulsa e si spacca a ogni colpo. A volte sono lontane, giú, sotto la nuca e ne sento soltanto l'eco, metallica, che mi si allarga dentro, lenta, come un cerchio sottile. Ma poi ricominciano all'improvviso, piú alte, altissime, un rintocco forte al centro della testa che mi vibra lungo il naso e sui denti, un rintocco forte che mi batte e rimbalza dietro la fronte, un rintocco, forte, che mi sfonda le giunture delle ossa e mi apre il cranio, un rintocco, forte, fortissimo. Le sento, le campane dell'Inferno. Sempre, ogni giorno e ogni notte, sempre, le sento le campane dell'Inferno che suonano a morto e suonano per me.

Per non sentirle mi sono coperto le orecchie con le cuffie dello stereo, ma non basta. Arricciato come una molla, il cavo mi scende lungo il petto e lo spinotto staccato mi penzola inerte e nudo tra le gambe. Allora accendo lo stereo, su tutti i bassi e tutti gli alti, la manopola del loudness girata tutta verso destra, tutto il volume su e tutti i led accesi, fissi sul rosso, fissi. Pianto lo spinotto della cuffia dentro il buco e di colpo UN MURO nella testa, durissimo e compatto, che mi scortica i timpani e corre da un orecchio all'altro e lí si blocca, dietro gli occhi, fermo. La cassa della batteria, il rullante e i piatti serpeggiano veloci nella mia testa come la lingua di un rettile, la chitarra è una raffica elettrica di pioggia, il basso un tuono isterico che rotola sempre piú vicino e la voce è un lampo che attraversa il cielo come un urlo nero. Ho un muro, un muro nella testa, UN MURO e i rintocchi delle campane ci si schiantano contro, sordi e a ogni colpo rimbalzano sempre un po' piú lontano. Il cavo delle cuffie, teso come la catena di un cane, basta appena per arrivare al letto a castello. Con le ginocchia premute contro il petto, sento la pelle liscia e ghiacciata delle gambe e i brividi alti che mi grattano i capezzoli.

Sono nudo e ho freddo ma i vestiti che avevo addosso li ho strappati e quelli che sono sul pavimento erano cosí inzuppati che adesso si saranno rappresi e saranno duri come pezzi di cartone. Allora mi rannicchio sul bordo del letto e appoggio appena la testa sull'angolo del cuscino, per evitare le gocce che colando dalle maglie della rete di sopra hanno ormai bagnato tutta la federa e il lenzuolo.

Sono nudo, rannicchiato e ho freddo e penso

che se mi infilassi una siringa vuota nel cuore il
sangue che ne pomperei fuori sarebbe nero come
l'inchiostro di china. Me lo vedo gorgogliare dietro lo stantuffo che si alza, cosí denso e scuro da
tingere il vetro come uno strato spesso di vernice,
increspato appena da qualche bolla opaca. Se mi
infilassi una siringa nel cuore di certo il vetro
esploderebbe in uno schizzo nero come un getto
di petrolio perché me lo sento gonfio, il cuore e
tanto grande da riempirmi il petto e premere forte contro la cassa toracica e anche piú in su, a chiu-
dermi la gola. Perché ho qualcosa dentro il cuore,
qualcosa che esce e mi corre veloce sotto la pelle,
fin dentro la gola. Se aprissi di piú la bocca, forse
mi uscirebbe anche da lí, tra i denti e le labbra socchiuse, questo animale che mi sento dentro.

Mi alzo a sedere sul letto e premo le cuffie sulle orecchie, perché hanno ricominciato a farsi sentire forte, le campane. Mi schiaccio le cuffie contro i timpani, con le mani aperte sui padiglioni di
plastica Sony, me le spingo dentro e intanto don-
dolo, avanti e indietro, con i gomiti appoggiati alle ginocchia. Sono nudo e ho freddo, sono nudo e
ho freddo e allora scendo dal letto, scivolo giú sul
pavimento, attento a non tagliarmi con i vetri rotti degli occhiali, della bottiglia, della sveglia e di
tutto quello che c'era sul comodino, scivolo sul pavimento a quattro zampe, come un cane e come un
cane alla catena mi spingo piú avanti che posso senza staccare le cuffie dallo stereo, piú avanti, sempre piú avanti, la testa piegata indietro sulle spalle, proprio come un cane. Con le dita arrivo a grattare la maniglia del cassetto basso di un armadio e
lo apro. Mi vesto con quello che trovo, tremando
di freddo, scosso dai brividi che mi fanno battere

i denti. È sempre cosí, sempre le stesse sensazioni, tutte le volte, tutte le volte.

Tutte le volte che mi reincarno.

E tutte le volte eccole che tornano le campane dell'Inferno, eccole che arrivano da dietro e ricominciano a battere contro il muro che ho nella testa e non serve a niente la musica, non serve a niente se me la schiaccio dentro i timpani e urlo, urlo con tutto il fiato che mi brucia in gola. Allora mi alzo e corro, corro via dalla stanza, corro fuori dalla porta, giú per le scale e fuori, in strada, con le cuffie sulle orecchie, la musica in testa e nel cervello forti, fortissimi i rintocchi di quelle maledette campane dell'Inferno che suonano sempre e suonano per me.

Il Gabinetto Regionale di Polizia Scientifica della Questura di Bologna è in un antico convento del Seicento e ha uno scalone dalle volte altissime, che piega ad angolo sotto un ingrandimento dell'Uomo di Leonardo stampato sul muro color crema. Erano in ritardo e Grazia salí in fretta i gradini che correvano larghissimi da parete a parete, ma rallentò subito, frenata da quella sensazione opaca che le aveva gonfiato la pancia già dalla mattina, lasciandole sul volto un'ombra di fastidio. Mormorò: – Merda – a fior di labbra, ma Vittorio la sentí lo stesso.

– Cosa c'è? – chiese.

– Niente.

Grazia abbassò la lampo del bomber e infilò una mano sotto il giubbotto, per spostare la pistola. La teneva in una fondina agganciata alla cintura e se la sentiva pesare contro il ventre teso. La spostò indietro, sul fianco, poi la tirò in avanti, ma la sensazione rimase identica.

– Non mi starai male proprio adesso, vero? – disse Vittorio spingendole una mano sotto il braccio, le dita appoggiate sulla stoffa verde oliva. – È importante che tu ci sia al cento per cento. Questa volta devo riuscire a convincerli.

– Ci sono... non ti preoccupare.

– No, perché la relazione l'hai studiata tu e se non te la senti...

– Tranquillo. Sto bene.

– Non sarà influenza? No, perché dicono che c'è un'influenza in giro che...

– Vittorio, ho le mestruazioni. Stanno per venirmi le mie cose, va bene? Tranquillo, mi fa sempre cosí... è normale.

Vittorio disse – Ah – e per un momento le lasciò il braccio, imbarazzato. Fece per riprenderlo ma lei si staccò di slancio, quasi con un salto e salí i gradini due a due, fino in cima. Vittorio si affrettò per raggiungerla e starle dietro mentre attraversava il corridoio, veloce e decisa.

– Lo so che è normale, Grazia, – disse. – Sei una donna.

– Sono un poliziotto.

– Okay, sei un poliziotto, scusa. Ma lo sono anch'io e voglio questo caso. L'hai studiata la sequenza dei documenti da aprire?

Grazia annuí. Chiuse gli occhi per un momento e se la rivide tutta in fila la lista dei files, uno sopra l'altro, a fianco della barretta con la freccia nera che li faceva scorrere nella finestra bianca del computer. Avrebbe potuto selezionarli col pensiero, premere il tasto *invio* e vederseli aprire in testa, nomi, dati, immagini.

– Sí, – disse. – L'ho studiata.

– E il colpo finale?

– Pure quello.

– Qual è?

– Catia.

CATIA001.jpg. Grazia lo vide appena sbatté le palpebre, un quadratino nero, in alto sullo schermo, con sotto la scritta evidenziata in verde. Clic-

cando sulla scritta il quadratino si sarebbe aperto
mostrando una fotografia. Grazia cercò di riaprire gli occhi piú in fretta possibile. Cercò di non
sbatterle neppure le palpebre. Cercò di dimenti-
carla immediatamente, Catia.

– Okay, bambina, – disse Vittorio. – Allora, visto che questi qui sono ossi duri e tu ancora non li
conosci, ti faccio un po' il quadro della situazione
che troveremo. L'uomo da battere è il questore. Il
sostituto procuratore Alvau è giovane, non sa niente di queste cose e forse l'idea di mettersi in mostra con un caso eclatante lo attira anche. Il questore no. Odia tutto questo, non vuole casini nella sua città e sarebbe costretto ad ammettere
almeno un paio di errori nelle indagini precedenti. Ha spedito via anche il dirigente della Scientifica locale perché non ci desse una mano, ma noi
sappiamo come fregarlo. Sei pronta, bambina?

Grazia non disse nulla. Lo guardò per un momento, gli angoli delle palpebre stretti appena e
quella piega contratta e infastidita tra le sopracciglia folte. Infilò le mani nelle tasche del bomber e
sempre senza dire niente si fermò davanti all'arco
basso e stretto di una cella che si apriva nel muro.
Vittorio si aggiustò la cravatta, si tirò le maniche
del soprabito per lisciarlo sulle spalle e chinò la testa, attento a non sbattere contro il frontone di
pietra con la scritta IERONIMUS FRATER, MDCLXXIII
scolpita a lunghi caratteri sottili. Sussurrò a Grazia: – Okay, ispettore Negro, spacchiamogli il culo, – poi si sporse oltre l'arco e disse: – È permes-
so? Scusate ancora il ritardo... quell'incidente in
autostrada.

Il laboratorio per le indagini speciali è nato dalla fusione delle celle di due monaci. Ha pareti di sasso a vista, soffitti a travi e finestre strette, inquadrate da due blocchi di pietra massiccia. Il pavimento è di cotto levigato. Le travi sono dipinte di nero. Se avesse un altare, candelabri e un crocefisso potrebbe essere la cappella di un monastero. La consolle del terminale, con il monitor, il modem e la tastiera, una scansia metallica con cinque piccoli televisori collegati a una centralina video e fasci volanti di cavi e prese ne fanno invece un laboratorio della Scientifica.

Sullo schermo del terminale il salvaschermo del programma disegnava la scritta POLIZIA DI STATO, a caratteri cubitali. Ruotava impazzita attorno a un punto, avvicinandosi e allontanandosi in proiezione, prima piccolissima e poi enorme. Davanti a uno dei televisori due uomini con una macchina fotografica sul cavalletto scattavano fotografie al video a colori di una manifestazione di studenti, bloccato a fermo immagine su un ragazzo in kefiah nera. Accanto al terminale, appollaiato su uno sgabello, c'era un uomo stretto in un cappotto blu scuro, scurissimo, che cosí, curvo in avanti, le mani affondate nelle tasche e le falde di lana chiuse davanti alle ginocchia, lo faceva sembrare un corvo. Accanto ai due uomini con la macchina fotografica, invece, c'era il questore.

– Finalmente, – disse il questore appena vide Vittorio che sbucava da sotto l'arco di pietra. Toccò uno dei due uomini su una spalla e disse: – Basta cosí, ragazzi, fuori, – poi sorrise all'uomo in blu corvino.

– Sono arrivati gli *americani*, – disse, forte. – Ecco quelli dell'*ucciesse*.

A Grazia il questore sembrava un uomo che si cotonasse i capelli per sembrare piú alto. L'uomo in blu, invece, le sembrava giovanissimo, poco piú di un ragazzino, con un ciuffo biondo spiovente sul naso e occhiali dalla montatura rossa, a tartaruga. Vittorio era sempre il solito, abbronzato il giusto, elegante il giusto, con i capelli lunghi phonati all'indietro, il sorriso franco e cordiale e la mano tesa. Sembrava piú un dirigente d'azienda a una riunione di marketing che un criminologo laureato in psichiatria, il piú giovane e brillante dirigente di un ufficio di Polizia Scientifica.

– Commissario capo Poletto e ispettore Negro. Mi consenta, signor questore, u*acciesse*...

– Scusate se mi intrometto, – disse il procuratore Alvau, – ma potreste spiegare anche a me che accidenti significa questa sigla?

– Unità per l'Analisi dei Crimini Violenti, un gruppo di consulenza nelle indagini che riguardano presunti assassini seriali. Un po' come il VICAP dell'FBI.

– Mi consenta lei, dottor Poletto... qua non siamo in America, qua siamo in Italia.

– Infatti, signor questore, ma anche noi siamo una cosa diversa. Facciamo parte della Polizia Scientifica.

Grazia aveva notato che Vittorio aveva detto assassini seriali e non *serial killer*. Gli Stati Uniti erano fuori target. Avrebbe sorriso ma una fitta rapida e improvvisa, uno strappo corto e veloce dentro la pancia, le approfondí la ruga che aveva tra gli occhi. Il sostituto procuratore si mosse sullo sgabello. Puntò una gamba lunghissima sul pavimento e si strinse ancora di piú nel cappotto.

– E c'è un presunto assassino seriale qui a Bologna, dottor Poletto? – disse. Grazia spostò lo sguardo su Vittorio e lo vide annuire lentamente, la fronte corrugata, le labbra serrate e sporte leggermente in avanti.

– Siamo convinti di sí, dottor Alvau. Sí.

Lo aveva detto cosí bene che per un attimo anche il questore restò spiazzato. Vittorio ne approfittò immediatamente.

– Adesso le faccio vedere, dottore. Un minutino e ci colleghiamo con lo SCIPS...

– Ancora con queste sigle...

– Ha ragione, dottor Alvau, deformazione professionale. Lo SCIPS è il Sistema Centrale Informatico della Polizia Scientifica. Grazia... vuoi metterti al terminale, per favore?

Rapida, Grazia si sedette alla seggiolina girevole davanti al computer. Fece scorrere il mouse sul tappetino rosso che aveva di fianco alla tastiera e la scritta rotante scomparve di colpo. Ci doveva essere polvere nei cuscinetti perché la freccetta bianca si muoveva a scatti sullo schermo e dovette spingerla quasi a forza sulla trombetta gialla che richiamava il programma. Se fossero stati in silenzio avrebbero sentito il ticchettio intermittente della chiamata e poi il fruscio sottile del modem che si collegava, ma Vittorio non voleva lasciare al procuratore il tempo di pensare.

– Allora, dottor Alvau: lo UACS è nato nel dicembre del '95, ha sede a Roma e affianca le Squadre Mobili che indagano nel settore «omicidi senza movente e violenze carnali in serie». Tra le nostre attività, però, c'è anche quella che noi chiamiamo Consulenza Preventiva...

Il questore aprí la bocca e fece – Ha! –, secco e sonoro, come un colpo di tosse. Era l'inizio di

una risata sarcastica e un po' forzata ma intanto lo
schermo si era colorato di blu, un blu vivo e luminoso. Il questore richiuse la bocca in un silenzio
timorato.

– Questo programma si chiama SASC, Sistema di
Analisi della Scena del Crimine. Si basa sui dati
raccolti nel SART, che è il Sistema Automatico per
i Rilievi Tecnici e poi immagazzinati nello SCIPS.
Confronta automaticamente tutte le informazioni
relative a casi differenti e scopre eventuali rela-
zioni. Noi lo chiamiamo la Macchina Cercamostri.

Errore. Il questore recuperò la risata abortita
un attimo prima. La sparò dritta sul Cercamostri,
– Ha! Ha! Ha! –, quasi fosse il titolo di un cartone animato. *La Macchina Cercamostri*. Il sostituto procuratore Alvau, invece, alzò una mano per
bloccare il questore e si aggiustò gli occhiali sul
naso, guardando attento lo schermo.

– E cosa avete scoperto? – chiese.

Vittorio appoggiò una mano sulla spalla di Grazia. Riprese l'espressione grave mentre stringeva
le dita facendo frusciare la stoffa del bomber.

– Prego, ispettore Negro... – mormorò.

Grazia se li sentiva tutti addosso. Il questore,
quasi appoggiato su una spalla, che le alitava su un
orecchio e prima, con la risata, le aveva sparato un
grumo di saliva, duro e caldo, sulla punta di uno
zigomo. Il sostituto procuratore dietro, chino su
di lei come un avvoltoio, il mento che le sfiorava
la testa e il palmo di Vittorio che le riscaldava la
spalla sotto la stoffa del giubbotto, le punte delle
dita che premevano sull'osso della clavicola. E poi
quel peso gonfio dentro la pancia che sembrava tirarla verso terra. Quella sensazione di fastidiosa
ipersensibilità alle reni e lungo la schiena e nelle

ossa delle gambe, piegate contro il bordo della sedia. Il seno, che le pesava indolenzito dentro la rete stretta del reggipetto, sotto il cotone sottile della maglietta, sotto quello piú spesso della felpa,
sotto il poliestere del bomber. *Merda*. Pensò alla
scatola di Ob Midi che aveva in tasca, assieme al
caricatore di riserva della Beretta, poi sospirò a
fondo, si schiarí la voce e fece saltare la freccetta
sulla scritta *open*.

– Caso Graziano, Bologna, dicembre 1994.
Uno studente di Palermo di 25 anni, che viveva
da solo in un appartamentino sui colli. Caso Lucchesi, San Lazzaro di Bologna, novembre '95.
Studente universitario fuori corso, genovese, 28
anni, tossico con precedenti per furto e spaccio.
Caso Farolfi-Baldi, Castenaso di Bologna, mag-
gio '96. Una coppia di universitari di Napoli, che
si mantiene subaffittando ad altri studenti fuori
sede. Con un cane. Ammazzato pure lui.

Grazia si passò la lingua sulle labbra. *Nessun ri-
ferimento agli omicidi*, aveva detto Vittorio. Clic-
care solo sulle testimonianze, sui verbali delle
pattuglie, sulle fotografie dei morti, ma *da vivi*.
E infatti, sullo schermo stavano sbocciando finestre di parole evidenziate in blu, di moduli in-
testati *Stazione Carabinieri di* e *Squadra Mobile*,
di foto tessera con l'ombra in rilievo del bollo
tondo del Comune o di istantanee da gita al mare, sul muretto del molo, lo sguardo sugli spruz-
zi delle onde e un sorriso in posa, congelato da
un'esposizione troppo lunga. *Lasciare il colpo finale per ultimo*, aveva detto Vittorio. Il colpo finale.

CATIA001.jpg. Grazia scosse la testa, cercando di non pensarci.

– Caso Assirelli-Assirelli-Assirelli-Fierro, dicembre 1996.

C'erano due icone nella parte alta dello schermo, due quadratini stretti e colorati, con dentro
scritto *ASS1.jpg* e *ASS2.jpg*. Grazia spinse la freccetta
bianca su *ASS1* e con la punta dell'indice schiacciò
due volte il pulsante del mouse. Apparve la fotografia di una famiglia, padre, madre, ragazzo e figlia piccola, seduti al tavolo di una tavernetta in
quello che sembrava un capodanno o un com-
pleanno.

– Stavano a Coriano di Rimini, in collina, pure
loro in una villetta isolata. Solo che i figli, questi,
ce li avevano.

Clic su *ASS2*. La fotografia era identica a quella
precedente. Lo stesso angolo di tavernetta, lo stesso scorcio di tavolo apparecchiato, il muro dietro,
con la ruota da carro laccata e dipinta, l'angolo di
camino con appesa una fiasca di coccio a forma di
Tre Monti-Souvenir di San Marino. Mancavano
gli Assirelli e c'era qualcosa di strano nella tova-
glia storta, che scopriva un angolo di tavolo e nella macchia scura che da sotto la ruota scendeva sul
pavimento in una striscia larga e scivolava fuori
dalla porta socchiusa in fondo alla foto. Il sostituto procuratore Alvau si fece piú vicino allo schermo, quasi volesse seguirla con lo sguardo, quella
striscia stinta e grumosa. Grazia resistette al desiderio di allontanarlo, spingendolo indietro con le
spalle.

– Sono tutti casi già risolti, – disse il questore,
cauto.

– Sono tutte indagini a carico di ignoti, – disse
Grazia. – Per lo studente di Palermo si pensa
all'ambiente degli omosessuali e per il tossico i ca-

rabinieri di San Lazzaro sono convinti che si tratti di un affare di droga. La coppia di Castenaso...

– Me la ricordo, – disse Alvau. – Omicidio a scopo di rapina. A carico di ignoti.

– E per la famiglia Assirelli, – disse il questore, – la Procura di Rimini ha chiesto una rogatoria per interrogare quello zingaro là... quello che sta in carcere nella ex Jugoslavia e che da noi aveva massacrato una famiglia in provincia di Pavia. A me queste qua sembrano tutte ipotesi investigative molto forti. E non vedo niente che le unisca.

– Neanch'io... – disse Alvau, – anzi, non immagino come si potrebbe... cosa c'è, ispettore, si sente male?

Grazia aveva avuto uno scatto che le aveva fatto sfiorare il mento del sostituto procuratore. Una fitta improvvisa dentro la pancia, un dolore rapido, umido e opaco, come una mano che le avesse stretto i visceri tra le dita. La piega tra gli occhi si era approfondita in una smorfia riflessa per un momento sullo schermo del terminale.

– Non si sente bene, signorina? – chiese il questore, mentre Grazia diceva: – No, no, – scuotendo la testa.

– L'ispettore Negro... – esitò Vittorio.

– È l'influenza, – disse Alvau, deciso. – Ce l'ho anch'io. Bruttissima.

– No, no...

– L'ispettore Negro...

– L'ho vista subito che era pallida, la signorina, subito...

– L'influenza di quest'anno... tre virus diversi! Prende allo stomaco...

– No, no...

– L'ispettore Negro...

– Forse è meglio che andiamo di là, cosí la signorina...

– L'ispettore Negro sarebbe, diciamo cosí, un po' indisposta.

Alvau e il questore fecero: – Ah.

A Grazia si infiammarono le guance.

– Ci sono, queste connessioni, ci sono, – disse, di slancio e dura. – Primo: l'm.o. è sempre lo stesso, una violenza bestiale che massacra ogni essere presente. Violenza pura, senza sesso, senza feticismi, senza niente. Solo pura violenza.

– m.o.: *Modus Operandi* – sussurrò Vittorio al sostituto procuratore, che annuí indispettito. – Lo so, lo so.

– Secondo: in ogni caso almeno uno dei cadaveri presenti è nudo. Completamente nudo. Il ragazzo di Palermo, il tossico, Andrea Farolfi e Maurizio Assirelli, il ragazzo della famiglia di Coriano. Tutti nudi, nudi dalla testa ai piedi.

– È successo anche in altri casi... – disse il questore, ma nessuno sembrava ascoltarlo.

– Terzo: sono tutti studenti universitari. Giovani studenti universitari.

Il questore fece schioccare le mani con un colpo cosí forte che si voltarono tutti a guardarlo.

– Il *Killer degli studenti*! – disse. – Pazzesco! Mi vengono i brividi solo a pensarci! – Allungò una mano e strinse il braccio di Alvau, scuotendolo con rabbia. – Ma si rende conto, dottore? Si rende conto? Qui ci sono duecentomila studenti... se lo immagina cosa succede se salta fuori la notizia di un maniaco che massacra gli universitari? A Bologna? Pazzesco!

Anche Vittorio allungò una mano per appoggiarla sul braccio del magistrato.

– Mi consenta, dottor Alvau, ci sono precisi dati statistici...

– Mi consenta, dottor Poletto –. Il questore si sporse in avanti e con l'altra mano afferrò Vittorio per il polso. – Io coi suoi dati statistici...

– Mi consenta lei, signor questore...

– No, mi consenta lei...

Grazia si irrigidí, intrappolata da quel reticolo di mani che stringevano braccia. Avrebbe voluto spazzarle via tutte alzandosi di colpo all'improvviso, poi si ricordò di *CATIA001.jpg* che aspettava silenziosa e nera, nell'angolo estremo dello schermo.

CATIA001.jpg.

Grazia spostò la freccetta sull'icona, l'agganciò tenendo premuto il pulsante del mouse e la fece scivolare fino al centro dello schermo.

CATIA001.jpg.

– Dottor Alvau, – disse, – io credo che un motivo per riaprire le indagini ci sia.

CATIA001.jpg.

– Quale? – disse Alvau.

– Evitare che si ripeta questo.

Grazia spinse due volte il pulsante del mouse e la fotografia di Catia Assirelli, undici anni, scattata dai tecnici della Scientifica il 21.12.1996 alle ore 15:32, si aprí sul monitor.

– Oh Dio! – gridò il sostituto procuratore Alvau, girandosi dall'altro lato. – Dio mio, no! Cosí no!

Vittorio alzò un braccio, poi lo piegò di colpo ad angolo retto, scoprendo l'orologio sotto la manica del soprabito.

– Cazzo, com'è tardi, – disse, la mano sullo sportello e un piede già dentro l'auto blu e bianca della polizia che lo aspettava col motore acceso. – Se perdo il Pendolino sono finito.

– Ce la fai, ce la fai, – mormorò Grazia. Lo guardò entrare in macchina e attese che avesse sollevato la falda dell'impermeabile per chiudergli dietro lo sportello. Vittorio abbassò il finestrino.

– Allora sembra che sia andata, no? Almeno per un po' Alvau ci dà fiducia e autorizza le indagini, nonostante quella testa di cazzo del questore. Bello quel colpo di scena finale con la foto della ragazza... un po' azzardato ma efficace. Bel lavoro, bambina.

Grazia sorrise, senza alzare lo sguardo. Fissava l'asfalto del parcheggio davanti alla questura e sentiva dentro un peso, umido e morbido. Nel ventre gonfio ma anche piú su, proprio sotto il cuore, come la punta sottile di un dito che la solleticava in fondo alla gola e le faceva venire voglia di piangere. Vittorio si sporse oltre il finestrino e le strinse un braccio.

– Non ho bisogno di dirti quanto lo UACS creda in questa operazione. Abbiamo investito moltissimo in termini di credibilità e ci aspettiamo il massimo da te. *Io* mi aspetto il massimo. Sei il nostro uomo sul campo... metti in moto quell'istinto cocciuto e un po' animalesco che mi piace di te e trovami il killer degli studenti. Bacio.

Grazia si chinò in avanti e sfiorò la guancia di Vittorio con un bacio veloce e in punta di labbra, come quello dei bambini. Vittorio ritirò la testa e toccò la spalla dell'agente seduto davanti, al posto di guida.

– Se perdo il treno ti faccio trasferire in Sardegna, – disse, e a Grazia: – Mi trovi al cellulare, quando vuoi, – appena percettibile, perso nel sibilo dell'auto che partiva sgommando.

Grazia sfilò una mano dalla tasca del bomber e l'alzò in un saluto appena accennato. Si chiuse la cerniera fino al collo perché l'aria grigia della sera si era fatta piú fredda e all'improvviso, di colpo, le sembrò che il parcheggio di piazza Roosevelt si allargasse attorno a lei e Bologna diventasse grandissima, una città immensa che si dilatava all'infinito, velocissima e lei al centro, da sola, sola, con le mani affondate nelle tasche del bomber e quella voglia di piangere che le si stringeva sulle labbra.

– Vaffanculo, – si disse, asciugandosi l'unica lacrima che non era riuscita a trattenere tra le palpebre. «Sindrome mestruale», pensò, poi ripeté: – Vaffanculo – a fior di labbra e attraversò il portico per tornare in questura.

A volte mia madre sale in camera per sentire cosa faccio.

Il rumore delle sue ciabatte di stoffa che strisciano sui gradini è un sospiro morbido, senza contorni. Lo sento subito, sento lo scricchiolio del legno, lo schiocco sottile della fede che porta al dito, metallo contro metallo, quando si aggrappa alla guida d'ottone del corrimano. Il respiro largo e corto che fa quando si ferma a metà strada per riprendere fiato, perché la scala che porta alla mansarda in cui sto sempre è ripida e stretta.

Quando la sento, se faccio in tempo, mi stendo sul divano e fingo di dormire. Aspetto, immobile, finché non sento la maniglia che si abbassa con un cigolio raschiante, come se qualcuno si schiarisse la voce, poi il fruscio delle ciabatte che si blocca sulla soglia e mia madre che dice «sssssst», a se stessa. E allora di nuovo il cigolio della maniglia, il sospiro delle ciabatte che si allontanano, lo scricchiolio del legno, lo schiocco della fede, il respiro a metà strada e via, finché non sento piú niente. Le prime volte, quando mi stendevo sul divano senza tirarmi addosso almeno un angolo del plaid che adesso ci tengo sopra, lei si avvicinava per coprirmi e qualche volta si accorgeva che ero sveglio.

Allora diceva: – Che fai, dormi?

E cominciava a parlare.

Se invece resto sulla sedia, se mi abbandono contro lo schienale e appoggio la testa sul bordo o anche mi stendo in avanti sul tavolo, con la fronte sulle braccia chiuse a ciambella, non funziona. Perché lei entra, mi tocca su una spalla e dice: – Vai a letto se hai sonno.

Poi comincia a parlarc.

Ma se ho lo scanner acceso e magari anche la musica, allora non c'è proprio niente da fare. Perché li sente anche lei e lo sa che non dormo. L'unica è allungare la mano in fretta alla mascherina dello scanner e girare la manopola della frequenza. Mi sintonizzo sulle chat. Sulle conversazioni in collegamento tra computer, via Internet.

È una cosa che ho scoperto da poco. I segnali che il modem di un computer manda a un altro passano attraverso le linee telefoniche con un trillo a singhiozzo, distorto dalle scariche elettriche, e si possono intercettare. Li ho sentiti tante volte scandagliando l'etere con lo scanner. Una scarica di fischi modulati, come uno stormo di uccellini che trillano gialli in una folata di vento azzurro frizzante. Li ho sentiti tante volte ma solo da poco mi è venuto in mente di collegare il segnale al programma audio del mio computer. Cosí i fischi sono diventati parole e sono usciti dagli altoparlanti che ho sul tavolo con la voce bassa e piatta della sintesi vocale. Quando sono dati che si trasferiscono da terminale a terminale sono incomprensibili, ma quando sono i messaggi che la gente si scambia sulle chat line allora sono frasi. Frasi scritte sullo schermo, con la tastiera, che diventano voci. Voci della città. Loro si leggono. Io li ascolto.

Mia madre la odia la voce sintetica del mio computer. Dice: – Dio quel coso... non lo posso senti-

re, – e se ne va. Per questo lo tengo acceso tutte
le volte che arriva. Ma a volte non funziona. A volte resta.

E comincia a parlare.

– Dio quel coso... non lo posso sentire. Cosa fai?
Chi stai ascoltando? Non è troppo alta cosí la musica? Hai le orecchie delicate, tu... lo sai.

Di giorno non ascolto Chet Baker. *Almost Blue*
è per la notte. Di giorno metto qualche CD o ascolto la radio. *Bar Fly*, il pomeriggio. Solo jazz, senza commento e qualche pubblicità ogni tanto. Solo jazz, be-bop soprattutto.

Coleman Hawkins.

Un sax viola che si allarga vibrando, cosí caldo
che il pianoforte, il contrabbasso e i piatti della
batteria si sciolgono, trasparenti, e lui ci passa attraverso.

La voce di mia madre. Verde per la sigaretta che
sta fumando e che ho sentito quando era ancora in
fondo alle scale assieme all'odore di lacca del tou-
pet che porta sempre. Le vocali aperte che si alzano e si abbassano e trattengono le sillabe nella ca-
denza montanara. Sembra quasi che canti, sulla
musica. – Perché poi non hai mai voluto studiarlo
il pianoforte quando eri in collegio... adesso sare-
sti un musicista di sicuro, invece di stare tutto il
tempo qui chiuso ad ascoltare quel baracchino...
Dio, quel coso... non lo posso sentire...

La voce del campionatore. Sempre uguale, senza inflessioni, senza sospiri, senza colori. È una
voce maschile, con un velo di riverbero che gli vibra dietro le *erre* e ogni tanto sembra raddoppiar-
gli le vocali. Non fa pause tra le parole. Giusto un
po' tra una frase e l'altra di chi scrive al computer. «Ciao vi-*ir*gola mi chiamo *rr*ita vi-*ir*gola da-a

dove digiti puntinterrogativo. Da bologna vi-irgola e tu puntinterrogativo. Da bologna anch'i-io
punto. Di che segno se-ei puntinterrogativo. Sco-
orpione e tu puntinterrogativo».

Si impasta con la musica e la voce di mia madre
come uno strumento fuori tempo. Tutti e tre, so-
lista, canto e ritmica.

Miles Davis.

Le note gonfie, rotonde e rosse di una tromba
soffiate in mezzo alle parole di mia madre. – Anche l'insegnante di sostegno che veniva quando non
sei piú voluto andare in collegio, poverina, che ti
diceva sempre *tocca le cose, sentile, usa le dita...* –
La sordina schiaccia le note della tromba, le allarga come una garza e in mezzo ci si impiglia il ritmo basso e costante e fuori tempo della sintesi vocale. «Acqua-ario ascendente ca-ancro luna in sa-
gitta-ario punto. È-è bellissi-imo *r*rita vi-irgola
davve*r*o punto. Pe-erché te ne i-intendi puntiter-
rogativo». – Era cosí brava quella signorina, peccato che non l'hai voluta piú, per quella che è venuta dopo ti do ragione, sembrava anche a me una
che se ne frega... – La tromba squilla senza piú sordina e riempie tutto di buchi. Buchi gialli, acutis-
simi e tanti. – Comunque, non voglio dire niente,
non insisto, però secondo me se tu uscissi un po'
qualche volta ti farebbe bene... – «Tu-u sei come
me vi-irgola *r*rita vi-irgola a noi ci spa-aventa una
co-osa sola punto. Co-osa puntinterrogativo. La
so-olitudine punto». La tromba di Miles Davis scivola in una lunga nota viola, che sgocciola e muore. Mia madre e il computer, a tempo, ne prolun-
gano il finale.

– Era diverso quando c'era ancora papà.

«Sí-í. La so-olitudine punto».

Ron Carter. Un contrabbasso storto e stonato, che arriva all'improvviso. Di solito è bellissimo, di un viola quasi blu ma oggi si mescola con la voce della sintesi vocale e diventa verde. Sto per far girare lo scanner in cerca di qualcos'altro ma mi fermo con la mano tesa sui pulsanti. Uno dei due ha detto: «Ce l'ha-ai il microfono per cha-attare a voce puntinterrogativo» e l'altro ha risposto: «Sí-í».

Tengo lo scanner e ne abbasso la voce, lasciandone appena un filo sottilissimo.

– Ciao. Mi senti?

Lei è una ragazza. Giovane. Ha spinto con entusiasmo sulla *a* di *ciao* ma poi ha abbassato la pressione sulla *e* di *senti*. Delusa. – Mi seenti? – Ancora piú in basso. Ansiosa.

– Poco... aspetta che provo a... boh? Va bene adesso?

Lui è un ragazzo. Giovane. Però c'è qualcosa che non va nella sua voce. Non mi piace.

Lei sorride. Lo sento da come le si allargano le parole, come se uscissero tutte intere tra le labbra aperte. Preme in alto, anche, soffiando dentro le vocali, che si gonfiano rosse. Ironica. Scherzosa. Sollevata.

– Ma lo sai usare o no questo microfono? È tuo il computer o l'hai rubato? Scherzo... lo so che gli scorpioni sono permalosi.

– Io no. Io sono tranquillo. Sono scorpione solo in una cosa.

– Cosa?

– Indovina.

Non mi piace. È una voce verde. Scivola sul contrabbasso storto che si sente appena in sottofondo e lo raggrinzisce come un lembo di pelle che rabbrividisce. È una voce verde ed è verde perché non ha colore. Il colore in una voce è dato dal respiro che uno ci mette. Dalla pressione del respiro. Se è bassa allora è umile, triste, ansiosa, implorante. Se è alta è sincera, ironica o bonaria. Se è piana è indifferente o conclusiva. Se è forte, di getto, è minacciosa, volgare o violenta. Se si alza e si abbassa e si arrotonda sui bordi, è affettuosa, maliziosa o sensuale. Questa voce non è niente. È solo un po' piú sostenuta di quella del computer, piú piena e nient'altro. È una voce verde che finge.

– Senti, Scorpione... non vorrai parlarmi di sesso, vero? Non sarai uno di quei tipi che chattano per rimorchiare, spero...

– Ma no... cos'hai capito? – Bassa pressione, bassissima. Troppo. Afflitto. Abbattuto. Affranto. Troppo. – Io intendevo un'altra cosa. Intendevo dire che me ne sto appartato come uno scorpione nascosto sotto un sasso, sempre pronto a difendermi da tutto e da tutti. Ferisco per non essere ferito. A volte, però, mi sento solo. Come adesso.

– Scusami, Scorpione... non volevo. Ti capisco. A volte mi sento sola anch'io.

C'è cascata. La voce si è ammorbidita. La pressione sulle vocali si è abbassata in un sospiro convinto. So già come andrà avanti: quanti anni hai, che musica ascolti, quali sono i tuoi interessi, dove possiamo vederci...

– Tu che musica ascolti, Scorpione?

– In che senso... adesso?

– Perché, stai ascoltando qualcosa? Io da qui non sento niente...

– Ho le cuffie del walkman... ma ti sento lo stesso.

Non riesco ad ascoltarla quella voce verde. Ha

qualcosa dentro che mi fa venire i brividi. È come
se ci fosse un altro suono, sotto, come se mormo-
rasse qualcosa nelle pause di silenzio. Come se pre-
gasse, ma non sembra una preghiera. Sussurra.
Sussurra qualcosa.

Don, don, don...

– Quali sono i tuoi interessi, Scorpione? Io faccio il DAMS, danza Butô, origami e shiatsu...

– Io... non saprei. Tu credi nella reincarnazione?

È qualcosa che raschia sotto il tono falso da sin-
tetizzatore vocale, qualcosa che si arrotola. Qualcosa che si gonfia e si sgonfia, sibilando. E sussurra.

Don, don, don...

Mi fa paura.

– Senti, Rita... tu credi che potremo vederci?

Cambio sintonia con un colpo di pollice. Lo
scanner frigge azzurro in un silenzio nero. Mi accorgo solo in quel momento che la voce di mia madre non c'è piú da un pezzo. *Bar Fly* è finito e la
radio non trasmette niente che mi piaccia. Ho ancora dentro il ricordo di quella voce che mi fa rabbrividire come quando portavo l'apparecchio per
i denti, da piccolo e toccavo con la lingua il metallo dei ganci sul palato. Per cancellare quella sensazione rugosa, verde e fredda accendo il giradischi e alzo il volume.

Almost Blue.

È in quel momento, proprio sulla vibrazione
densa e liquida del contrabbasso, proprio un attimo prima che Chet Baker cominci a cantare, che
lo scanner si blocca e sento la sua voce.

Una voce blu.

– Pronto, Vittorio? Sono io, Grazia... No, no,

tutto bene... volevo solo... sí, no, tranquillo, il questore non rompe... Sí, ci sto attenta, sí...

Lui non si sente. È un silenzio vuoto, una pausa nera. Parla in un GSM, di quelli che non si in-
tercettano. Potrebbe anche essere un telefono da
appartamento ma hanno un silenzio diverso, piú
rosa.

– No, davvero, sto bene... mi hanno dato due
uomini della Mobile e mi tengono informata se...
certo che mi sto dando da fare... lascia stare le mie
cose, Vittorio, quelli sono affari miei...

Non capisce che sta piangendo? Non lo sente
dalla vibrazione umida che ha sotto la voce? Trat-
tiene le parole in gola per non farle scivolare, come quando si cammina sul bagnato. Poi le soffia
tra le labbra, come Chet Baker. A occhi chiusi, sicuramente.

– Vittorio? Puoi aspettare in linea un momento? C'è un agente che mi fa dei segni...

Ha messo una mano sul microfono, lo sento dal
fruscio attutito. Accosto la testa alle casse dello
scanner per esserle piú vicino quando tornerà.

Mi piace la sua voce. È una voce morbida. Giovane. Un po' triste. Un po' meridionale. Un po'
bassa. Calda. Rotonda e piena. Viola con sfuma-
ture rosse.

La piú blu che abbia mai sentito finora.

Quando torna però è diversa. Non piange piú.
È ferma, rapida e cosí dura che faccio fatica a ri-
conoscerla.

– Vittorio? Ti chiamo dopo. Ne hanno trovato
un altro.

– Senti, Rita ... tu credi nella reincarnazione?

– Stia attenta che si sporca, signorina... è coagulato, ma ha schizzato fino al soffitto e ogni tanto cola.

Si sentiva gonfia come un pallone. Le sembrava di avere una pancia sporgente come una ciambella che le arrotondava il vestito. Si era già pentita di averlo indossato, al posto dei jeans. Non per la pancia, che era piú che altro una sua impressione, ma perché cosí, con quell'abito di lana grigia corto sulle gambe e quelle calze nere strette alle caviglie dalle cinghie degli anfibi, cosí vestita un po' piú da donna del solito, nessuno l'aveva ancora presa per un poliziotto. Nonostante il bomber e nonostante il distintivo Polizia di Stato che portava al collo, l'avevano scambiata per una studentessa che si era infilata a curiosare o per una giornalista, mai per un poliziotto. Forse perché quello era un caso dei carabinieri, c'erano solo militi dell'Arma nell'appartamento devastato, e lei era in effetti l'unica donna presente. Ma si sentiva troppo gonfia per i jeans e allora «vaffanculo» pensò e fece un gran respiro, un respiro profondo e indifferente, nonostante fosse uno dei pochi presenti a non portare la mascherina.

Il ragazzo era morto da almeno una settimana quando lo avevano trovato, e lo avevano scoperto proprio per l'odore. La padrona di casa, che non lo vedeva da un pezzo, era salita qualche volta a suonare il campanello, senza ottenere risposta. Poi, quel pomeriggio, aveva trovato la porta socchiusa e dallo spiraglio aveva sentito l'odore dolce, intenso e stomachevole, come di marmellata bollita. L'odore della morte.

– Monolocale, piú bagno, piú angolo cucina. È tutto qui. Un appartamento da studente.

Il brigadiere era alto e gentile. Si era anche tolto la mascherina dalla bocca, per cortesia, ma se l'era rimessa subito, senza riuscire a trattenere una smorfia disgustata. Grazia deglutí, stringendo le labbra. La piega tra gli occhi si fece ancora piú profonda.

– Com'era lui? – chiese.

– Un macello, signorina. Non mi ci faccia pensare. Il medico legale dice che probabilmente era un ragazzo sui vent'anni ed è facile che sia Paolo Miserocchi, lo studente che abitava qui. Fortuna che l'hanno già portato via.

– Intendevo dire se era vestito o era nudo. E per favore, non mi chiami signorina.

– Ha ragione, mi scusi... non immaginavo che fosse già sposata, cosí giovane. Tra l'altro, signorina non si usa piú neppure per legge...

– Ispettore Negro, per favore. Mi chiami ispettore... non sono una signora, sono un collega.

Il brigadiere arrossí dietro la mascherina. Strinse un po' gli occhi e fissò Grazia che si era alzata sulle punte dei piedi per guardare sopra il letto a castello, le braccia allacciate dietro la schiena per non rischiare di toccare niente. Non era facile in quella stanza. Il pavimento era coperto di roba, cocci di vetro, libri, vestiti, CD, i pezzi sparsi di una maschera di legno. Le ante dell'armadio erano spalancate e i cassetti aperti. Il comodino era rovesciato. I poster strappati dal muro e quello di Pamela Anderson accartocciato in un angolo. Soltanto la scrivania, il computer e uno sgabello girevole erano intatti e al loro posto. E puliti.

– È ovvio che era nudo, – disse il brigadiere. – Il fonogramma diceva di informarvi se trovavamo un cadavere nudo ed è solo per questo che lei è qui. Ispettore.

A passi lunghi, alzando le gambe e camminando sulle punte per non calpestare niente, Grazia si avvicinò alla scrivania. Infilò le mani sotto il bomber aperto e si strinse le reni in un massaggio inesperto che non le dette nessun sollievo. Si chinò sul computer, fino a percepire l'odore acido della polvere per rilevare le impronte. Quello della morte non lo sentiva quasi piú.

– Posso avere al piú presto le fotografie delle impronte? – chiese.

– Può stare tranquilla, ispettore... – disse il brigadiere, sarcastico, – le nostre non ci sono. L'appuntato che ha spento il computer portava...

Grazia voltò la testa di lato facendo frusciare il mento sulla stoffa del bomber.

– Avete salvato tutto prima di spegnere, – disse rapida. – Naturalmente.

– Naturalmente, – disse il brigadiere, ma lo disse dopo un attimo, con un'espressione sfuggente negli occhi e una piega strana che gli aveva appiattito il sorriso sotto la mascherina. Grazia strinse le dita attorno alle reni e mormorò: – Merda – cosí piano e cosí a fior di labbra che forse il brigadiere lo indovinò dallo sguardo, perché arrossí di nuovo.

– Posso parlare con l'appuntato che ha spento il computer? – chiese Grazia. – Posso parlarci subito? – Non era una domanda, era un ordine e il brigadiere annuí in fretta, le mani chiuse sulla banda rossa dei calzoni, piegato in avanti in una specie di curva e indecisa posizione d'attenti.

– Come no... certo. Canavese! Qua, subito!

Canavese era accanto all'unica finestra dell'appartamento e prendeva aria da uno spiraglio aperto. Se ne staccò con una smorfia seccata, che cambiò appena vide Grazia, ferma accanto al brigadiere. Le lasciò scivolare addosso un'occhiata veloce, seno, gambe, labbra e si avvicinò con uno scricchiolio deciso di gambali, fondina e bandoliera bianca. Anche lui era alto, come il brigadiere.

– Giornalista? – chiese, poi notò il distintivo. – Ah... una cugina. E anche carina... meglio dei colleghi nostri, brigadie'. L'ho sempre detto io che la polizia...

Grazia socchiuse le palpebre, abbassando gli occhi e notò che Canavese stava in piedi su un foglio di carta schizzato da una striscia rossa che sembrava tagliarlo in due. Dalla finestra fino a loro aveva calpestato senza pudore tutto quello che si era trovato sotto la suola a cingoli dei suoi stivali da Nucleo Operativo. Grazia sospirò, scuotendo la testa. Rinunciò a chiedergli se avesse salvato i dati prima di spegnere il computer.

– Si ricorda se c'era qualcosa sullo schermo? Un documento... un programma, qualcosa di scritto...

Canavese si strinse nelle spalle, scuotendo la testa.

– Non ci capisco niente di queste cose, – disse, – e comunque era tutto nero, con una scritta colorata che si muoveva... ma non sono stato a leggerla.

– Si può recuperare, – disse il brigadiere, – abbiamo degli specialisti nel Nucleo Informatico che fanno cose dell'altro mondo...

– Non importa, – mormorò Grazia, – quello era solo un salvaschermo, una cosa che serve nelle pause per... vabbe', non importa.

– Però, appena ho toccato la scrivania la scritta è sparita, – disse Canavese, un dito infilato sotto il bordo del berretto, a massaggiarsi sopra l'orecchio. – Aspetti un po'... il coso, qui, come si chiama...

– Il monitor, – disse Grazia.

– Ecco sí, questo... – Canavese fece scorrere il taglio della mano sul vetro curvo dello schermo. Il brigadiere alzò un braccio per fermarlo ma Grazia scosse la testa con uno scatto nervoso, che lo bloccò. – Era diviso in due da una riga blu e sopra e sotto c'erano due rettangoli gialli, con delle cose scritte.

– Una chat! – disse Grazia. – Era in chat con qualcuno! Bravo appuntato... complimenti.

– Grazie, – disse Canavese, con un sorriso ingenuo.

– I nostri specialisti fanno miracoli, ispettore, – disse il brigadiere. – E poi... è successo anche a voi, no? Per quella storia di via Poma, si ricorda? Siete stati voi della polizia a spegnere il computer...

– Sí, è vero, – tagliò corto Grazia. – Mo' siamo pari. Posso parlare con la padrona di casa che ha scoperto il cadavere, per favore?

Anna Bulzamini, vedova Lazzaroni, quelli dei
biscotti, signorina, lo scriva pure, abitava nello
stesso pianerottolo, proprio alla porta di fronte.
Era nel corridoio di ingresso con un capitano dei
carabinieri, ancora piú alto di Canavese e del brigadiere, che sbarrò il passo a Grazia appena la vide affacciarsi alla porta. Niente giornalisti, prego.
Ah sí, certo, la polizia. La specialista in serial killer. Ma siete sicuri? Per noi è una cosa di droga.
Questo Miserocchi riforniva di ecstasy tutta Economia e Commercio.

Lazzaroni dei biscotti, signorina, lo scriva. Oddio, mica proprio loro, però siamo parenti. Sí, affitto agli universitari ma non creda, non è mica un
bel lavoro, piú che altro una bega. Paolo, quello di
fronte, l'ho visto l'ultima volta otto giorni fa. Siccome lo avevo sentito sul pianerottolo mi sono affacciata per ricordargli che era scaduta la rata
dell'affitto e siccome non è venuto da me come
aveva detto, gli sono andata a suonare io, ma non
ha risposto, cosí ci sono tornata il giorno dopo.
No, che fosse successo qualcosa non ci pensavo
proprio. Ma perché il giorno dopo ha risposto. Oddio, non ha risposto lui in persona ma un suo amico che mi ha detto che non c'era. Certo che l'ho
visto l'amico, l'ho chiamato dentro a prendere un
caffè perché sa come fanno i ragazzi che a volte
vanno via per un po' e subaffittano, ma a me non
mi sta bene e cosí volevo sapere se... No, guardi,
non lo conoscevo, non mi ha detto il nome e non
potevo mica chiedergli i documenti, no? Dunque,
com'era. Un ragazzo come tanti, uno studente,
normale, un universitario. Pienotto, un po' scuro
di pelle, con le basette a punta e quel pizzettino
da capra che va di moda adesso. Gentile, però, be-

ne educato, anche se quella mania di tenere su le
cuffiette per tutto il tempo che è stato qui a parlare non mi è mica piaciuta molto. E anche quella
di toccarmi tutti gli animalini di vetro che ho lí sul
cassettone, ho pensato vuoi vedere che questo ru-
ba? Però ci sono stata attenta e non ha portato via
niente. Comunque, senta un po', io i miei soldini
li volevo, mica crescono sugli alberi, no? Cosí mi
sono attaccata al telefono e ho cominciato a chiamare tutti i giorni. Le prime volte mi rispondeva
quel ragazzo, ma oggi il telefono dava occupato
tutto il giorno, sempre occupato e allora ho pensato che se questo se ne va e mi lascia una bollet-
ta lunga cosí e allora sono andata a suonare e la
porta era aperta, ho sentito quell'odore e oddio,
poveretta me. Bisogna che mi sieda se no mi sento male.

Anna Bulzamini, vedova Lazzaroni, si attaccò
al braccio del capitano, che la sostenne, battendo-
le con la mano guantata sul gomito finché non l'eb-
be scaricata su una poltrona del salotto. Grazia
guardò la fila di animaletti di vetro allineati sul
piano del cassettone. L'elefantino, l'ochetta, il ca-
gnolino... velati dalla polvere per rilevare le impronte come se ci fosse nevicato sopra, una nevi-
cata grigia e finissima, all'improvviso e soltanto lí.

Quell'istinto cocciuto e un po' animalesco, aveva detto Vittorio.

Quell'istinto.

Grazia allungò una mano e rapida afferrò un
coccodrillino, agganciandolo tra pollice e indice,
sulla punta della coda, per non rovinare le impronte. Lo infilò nella tasca del bomber un attimo
prima che il capitano si voltasse e fece cosí in fretta a estrarre la mano che le cadde fuori tutto, le

fotografie degli omicidi che teneva arrotolate a cono, il caricatore di riserva, la scatolina degli Ob e anche il coccodrillino, che rimbalzò sull'angolo di un tappeto. Si chinò velocissima a raccoglierlo e lanciò un'occhiata al capitano che non si era accorto di nulla, distratto dalla scatola degli assorbenti che gli era scivolata tra le punte delle scarpe lucidissime. Gliela porse con uno schiocco leggero di tacchi e un sorriso sottile, tenendola in punta di dita e Grazia quasi gliela strappò di mano, mentre cercava di infilarsi le fotografie nella tasca del bomber.

– Scusi, signorina... – disse Anna Bulzamini, vedova Lazzaroni. – Mi fa vedere quella cosa che si è messa in tasca, per favore?

Grazia arrossí violentemente, senza sapere cosa fare. Guardò il capitano con aria cosí spaventata che lui ricambiò perplesso e con una punta di sospetto. Poi la signora Bulzamini, vedova Lazzaroni, si sporse sulla poltrona, tendendo il braccio verso Grazia.

– Quella cosa là! – disse. – Cos'è quella cosa che le spunta dalla tasca? Una fotografia?

– Sí, – mormorò Grazia, smarrita, le fotografie di nuovo fuori dal bomber, – sí, sono le foto dei... – ma intanto Anna Bulzamini aveva detto: – Me le dia un po' – e il capitano gliele aveva sfilate dalle dita per porgerle alla vedova con un altro schiocco leggero dei tacchi.

– Eccolo qua!

– Chi? – chiesero assieme Grazia e il capitano.

– Il ragazzo con le cuffie. Quello che stava a casa di Paolo. È lui, uguale uguale.

Grazia deglutí, irrigidita da un brivido ghiacciato che le era risalito lungo la schiena fino alla

nuca, troncandole il respiro. La fotografia sulla
quale Anna Bulzamini, vedova Lazzaroni, stava
battendo convinta la mano aperta, era quella di un
ragazzo pienotto, un po' scuro di pelle, con le basette a punta e quel pizzetto da capra che va di moda adesso.

Era la stampa a colori di *ASS3.jpg*.

Assirelli Maurizio.

Massacrato a Coriano di Rimini il 21.12.1996.

Certe volte miliardi di piccolissimi ami da pesca mi agganciano la faccia da sotto la pelle e me la risucchiano fin dentro la gola. Partono da qualche punto, dietro la lingua e mi attraversano la testa come una cascata finissima di stelle filanti. Gli ami passano tra poro e poro e mi si piantano nella pelle e sono cosí sottili che quasi non pungono neanche. Quando succede, corro a specchiarmi da qualche parte perché mi piace vedere il mio volto che brilla di milioni e milioni di puntini luminosi, come microscopiche gocce d'argento. Ma poi gli ami cominciano a tirare e il naso e la bocca e tutta la faccia mi si accartocciano dentro, come un pugno che si chiude e trascina tutto con sé, occhi, naso, labbra, guance e capelli, tutto giú, in fondo alla gola.

Certe volte la mia ombra è piú nera delle altre. Me ne accorgo quando cammino in strada e vedo che comincia a macchiare il muro che ho di fianco, a lasciare strisciate sempre piú nette sui cartelloni, sull'intonaco o sul sasso. La vedo che diventa sempre piú scura e sempre piú densa e ho paura che qualcuno se ne accorga e allora vorrei correre via ma è difficile perché si allunga e fila, appiccicosa e nera e mi tiene attaccato al muro e al marciapiede.

Certe volte c'è qualcosa che mi striscia sotto la pelle, come un animale, e corre veloce ma non so cos'è, perché sta sotto. Se mi tiro su le maniche in fretta faccio in tempo a vederlo, un rigonfiamento corto e sottile che mi solleva la pelle sulle braccia e sale verso la spalla, come per scappare via, e se mi tolgo la camicia me lo vedo scivolare sul petto e giú verso la pancia e su di nuovo, un mucchietto allungato che si alza, si abbassa e si rialza un po' piú avanti, rapidissimo. Quando succede sento un solletico insopportabile sotto la pelle, ma non posso farci niente. Solo una volta sono riuscito a farmi un taglio sul braccio e ho visto qualcosa che spuntava, come una virgolina verde che sembrava una coda e allora l'ho presa con la punta delle dita e ho cercato di tirarla fuori ma scivolava e sembrava che avesse le squame che facevano resistenza contro il bordo del taglio e mi faceva male e cosí l'ho lasciato andare e lui è tornato dentro.

Certe volte mi succedono queste cose.

Certe volte.

Ma sempre, sempre, sempre, sento risuonare in testa quelle maledette campane dell'inferno, che suonano sempre e suonano per me.

Certe volte c'è qualcosa che mi striscia sotto la pelle, come un animale, e corre veloce ma non so cos'è.

– Non è un coccodrillo... è una specie di lucertola.

– A me sembra un draghetto, con quella crestina...

– No, è un ramarro... lungo cosí è un ramarro.

– Scusate... possiamo procedere adesso?

Il tecnico della Scientifica lanciò un'occhiata all'ispettore Matera e sorrise. Si asciugò le mani sulle falde del camice e prese la statuina di vetro con una pinzetta, poi lanciò un'occhiata anche al sovrintendente Sarrina e infilò il coccodrillo, la lucertola, il ramarro o qualunque cosa fosse nella cella del fornellino. Regolò il reostato e accese la macchina, mentre Sarrina guardava Grazia con la coda dell'occhio, facendo scrocchiare l'unghia del pollice contro lo spigolo di un dente.

– Potrebbe smettere, per favore? – chiese Grazia, dura, gli occhi fissi sui vapori di cianocrilato che riempivano la celletta di una nebbiolina bianca e sottile, come se qualcuno, da dentro, stesse alitando sul vetro.

– Scusi, – disse Sarrina, ma si sentiva dalla voce, allungata e stretta sulle labbra, che sorrideva.

Alla Scientifica della questura di Bologna le impronte digitali sono raccolte in uno stanzone enorme, attraversato da uno schedario elettronico. Lo

schedario, un cassone di metallo e display digitali
alto fino quasi al soffitto, sta immobile sotto gli
archi delle volte e tra le pareti di sasso del convento ristrutturato, come un dinosauro in un mu-
seo, ma alla rovescia: lo scheletro di un animale
moderno conservato in una sala preistorica. Appoggiata allo schedario, le mani affondate nelle tasche del bomber e aperte attraverso la stoffa sulla
pancia dolorante, Grazia osservò i vapori bianca-
stri del cianocrilato che si depositavano sul vetro
della statuina e reagendo con le particelle grasse
del sudore delle impronte ne rigavano il dorso di
cerchi trasparenti.

– Attento, per favore, – mormorò piano, quando il tecnico estrasse dal fornello quell'animale fan-
tastico, velato di arabeschi sottili e lucidissimi, e
con la pinzetta lo spinse sotto il microscopio, per
fotografarlo. Gli altri due, Matera e Sarrina, la stavano fissando. Sarrina, seduto sul bordo del tavolo, piú ironico e sfottente, quasi con disprezzo,
Matera su una sedia, piú paterno e paziente, ma
sempre con sufficienza. Erano gli uomini che il
questore le aveva assegnato per le indagini e Grazia aveva capito, già quando gli aveva stretto la
mano per la prima volta, che non credevano per
nulla al suo *killer degli studenti*.

Matera: – No, perché ispettore, io sto male solo a pensarci a una cosa del genere... qui, a Bologna. Sa che casino significa? Se lo immagina il bor-
dello che succede? E allora io preferisco non pensarci neanche a una cosa del genere.

Sarrina era stato piú diretto e meno possibilista:
– È una cosa da ispettore Callaghan e qui non siamo in America.

E Grazia aveva risposto: – Io non mi chiamo

Callaghan ma Negro. E sono di Nardò, in provincia di Lecce.

– Ecco qua, – disse il tecnico della Scientifica, sfilando le lastre dalla macchina fotografica. – È un negativo bellissimo. Tre dita, con creste papillari da concorso di bellezza. Ispettore, queste sono le top model delle impronte... tempo un quarto d'ora e se è schedato le tiro fuori nome, indirizzo e numero di telefono!

– Stia attento, – ripeté Grazia e poi: – Controlli i manicomi giudiziari e le schedature degli studenti – mentre il tecnico annuiva, alzando una mano. Sarrina, invece, continuava a fissarla, ironico nel sorriso e adesso anche un po' indecente. Grazia si era aperta la cerniera del bomber e le sembrava che lui la guardasse proprio lí, al seno che si sentiva scoppiare dentro il reggipetto, tanto che ci incrociò anche le braccia sopra, ma le sciolse subito perché sentiva male. Stava per dire qualcosa quando parlò Matera.

– Che intende fare, ispettore? Il questore ci ha detto che il capo è lei. A me va bene... dica un po', capo, che si fa?

Grazia si passò la lingua sulle labbra secche. Si sentiva a disagio di fronte a quei due poliziotti diffidenti ed esperti, come la prima volta che si era trovata ad ansimare di soggezione di fronte a Vittorio nel suo ufficio di Roma. A Matera, si vedeva chiaramente, seccava essere comandato da un pari grado cosí giovane come lei, ma Sarrina? Selvatica e concreta... come lo trovi un fidanzato, le aveva detto una volta una sua compagna di corso, se sei sempre cosí sgarbata e diretta?

– Perché ce l'ha con me, Sarrina? – Cosí, sgarbata e diretta.

Sarrina alzò lo sguardo dalla punta della scarpa

che si stava fissando. Finí con gli occhi in quelli di
Grazia e ce li tenne, ricominciando a sorridere, indecente.

– Perché io vi conosco a voi donne nella polizia... quelle come lei, ispettore. Sempre incazza-
tissime per far vedere che sono meglio degli uomini...

– Non è vero.

–... solo lavoro, lavoro e lavoro. Scommetto che
è figlia di un poliziotto, scommetto che non ce l'ha
un fidanzato, scommetto che se la tiene stretta finché non è arrivata almeno a commissario capo...

– Non è vero.

–... e poi, Cristo, vestitevi un po' da donne!
Grazia incrociò le braccia sul seno e 'fanculo al dolore gonfio che sentiva, 'fanculo alle mestruazioni
e 'fanculo a tutti.

– Mio padre aveva un bar e voleva che facessi
la barista pure io e invece faccio il poliziotto perché mi piace questo mestiere e mi piace farlo bene. Non ci divento commissario capo perché non
sono laureata e mi ci vestirei anche da donna, ma
poi la pistola dove cazzo la metto?

Girò la schiena, sollevando il bomber per mo-
strare la fondina attaccata alla cintura, poi si accorse che Sarrina si era alzato sulla sedia per guar-
darle il sedere e si girò di scatto, arrossendo.

– Basta cazzate. Ho fatto tutti gli aggiornamenti
di psicologia anch'io, sovrintendente, ma a me non
interessano le persone. Mi interessano i mostri.
Territorialità, ispettore Matera, spesso il serial killer è un predatore stanziale, con vittime dal profilo ben definito. Peter Sutcliffe, lo Squartatore dello Yorkshire, uccideva le prostitute nei dintorni di
Leeds. Ed Kemper caricava le autostoppiste

sull'autostrada del Campus di Berkeley. Jeffrey Dahmer frequentava i bar per omosessuali di Milwaukee. Il Mostro di Firenze batteva la zona di Scandicci. Il nostro uomo uccide studenti universitari e per farlo deve frequentare i loro appartamenti, i loro bar, l'università. Con un nome e un volto non deve essere difficile trovarlo, in una città come Bologna.

Attese. Niente stretta di mano, niente «benvenuto, ispettore Negro», niente di niente, solo Sarrina, ironico e indecente e Matera, che alzò gli occhi al cielo con un sospiro paterno.

– Questa città non è come le altre, ispettore Negro, – disse soltanto, – se ne accorgerà, – e di nuovo Sarrina sorrise.

– Sempre che sia schedato, – aggiunse.

– È schedato.

Il tecnico della Scientifica aveva un cartoncino in mano, con una fotografia appuntata in un angolo e una fila di righe scritte in piccolo, a fianco. Grazia si staccò dal classificatore e glielo strappò quasi di mano. Lo appoggiò al tavolo e subito Matera e Sarrina le furono addosso, curvi come lei sul cartoncino. Matera si lasciò sfuggire soltanto un sorriso, ma Sarrina, piú diretto, si tirò indietro con un – Ah! – che era quasi una risata.

La fotografia era quella di un ragazzo di poco piú di vent'anni. Ripreso a mezzo busto, su uno sfondo bianco. Aveva le mani sui fianchi e una maglietta grigia con le maniche corte arrotolate sulle braccia fino alle spalle. Aveva i capelli neri tagliati a spazzola, schiacciati sulla fronte. Aveva gli occhi socchiusi e la bocca semiaperta in un sorriso che gli scopriva tra le labbra la macchia piú chiara di due denti. Sembrava di altezza media, di cor-

poratura media, di peso medio. A fianco, nelle righe stampate in piccolo, c'era scritto: *Alessio Crotti, nato a Cadoneghe* (PD) *il 26-10-1972*.

   *Ricoverato il 21-01-1986 presso il Manicomio
Giudiziario di Bologna.*

   Deceduto il 30-12-1989.

– Via Galliera cinquantuno... Ospedale Rizzoli... viale Filopanti angolo San Donato... Strada Maggiore trentotto... Hotel Pullmann entrata posteriore... via Ferrarini... via Ferrarini... via Ferrarini... nessun taxi in via Ferrarini?

– Siena Termini diciotto, eccolo qua. Sono Walter, Anna... quello delle chiamate difficili. Ci vado io in via Ferrarini, ma digli bene che mi aspetti l'omarello perché prima bisogna che la trovo. La facciamo una scommessa? Se ci arrivo prima di cinque minuti domani sera esci a cena con me. Oh, Anna, di' un po'... ma lo sai che sei la voce piú sexy di tutto il centralino?

Una volta, da piccolo, mi sono innamorato di una voce. È stato tanto tempo fa, quando andavo ancora al collegio per ciechi e tornavo a casa tutti i pomeriggi con il pulmino dell'istituto. L'autista teneva la radio accesa, sempre sintonizzata sullo stesso canale e quell'estate c'era un programma che iniziava sempre con la stessa canzone. Tutti i pomeriggi, io mi preparavo in fretta e mi facevo trovare pronto all'arrivo del pulmino per essere il primo a salire e riuscire a sedermi davanti alla cassa della radio, perché otto o dieci minuti dopo che eravamo partiti, finiva la pubblicità e iniziava quella canzone.

Adesso lo so che si chiamava *La vie en rose*, ma allora ero piccolo e sapevo soltanto che c'era una canzone bellissima, cantata da una donna bellissima, con una voce bellissima. Era una canzone dolce, piena di *erre*, ma non verdi, *erre* morbide, rosa. Non capivo le parole, non capivo il nome di quella donna ma non importava perché per me lei era la Donna dalle Erre Rosa e io ne ero innamorato come può esserlo soltanto un bambino.

– Sovrintendente Avezzano a Centrale. Terminato il turno con la collega Ripamonti riportiamo la volante all'autoparco. Toh, riattacca il coso, lí, il microfono e statti attenta che non rimanga acceso. Che dici, Teresí... ci andiamo a infrattare a San Luca? Eddài che c'abbiamo piú di una mezzora, diciamo che ci stava traffico sui viali... cos'è quel gesto lí, mi mandi affanculo? Ah, no, è l'anello... e allora? Pure io sono sposato... e lo eravamo pure l'altra volta, no?

– Roma Termini diciotto? Roma Termini diciotto? Oh, Walter, ci vai o non ci vai a prender su l'omarello? Lui là ha chiamato ancora e dalla voce mi sembrava un po' sull'incazzato... guarda che se mi fa reclamo è la terza questa settimana e mi cacciano via dal centralino. Loris, qui, dice che via Ferrarini è al Pilastro, vicino a dove hanno ammazzato i tre carabinieri... dacci ben del gas, Walter, che se mi vai a prendere il tipo esco con te per una settimana...

Quell'estate c'era ancora mio padre e quando arrivavo a casa dall'istituto lui mi faceva scendere in cortile perché voleva che giocassi con gli altri ragazzini. Giocavamo al *Mostro Cieco*, una specie di nascondino in cui loro scappavano dappertutto e io cercavo di chiuderli negli angoli o di afferrarli quando mi passavano vicino. Oppure a *Palla Fantasma*, dove io stavo davanti al portone di un garage come su una porta da calcio, loro cercavano di fare goal e io, sentendo il colpo del piede e il fischio del pallone, cercavo di pararlo con il corpo. Quando i miei giochi finivano, quando loro tiravano fuori le biciclette o giocavano a calcio per davvero, allora potevo tornare di sopra, in casa.

– Qui Rambo, qui Rambo, chi mi copre? Se c'è qualcuno venga avanti che devo sputtanare El Diablo... quella bestia mi ha superato sulla via Emilia poco dopo Ferrara, senza neanche salutare, e sapete dove corre cosí, con il rimorchio e tutto? A Casalecchio, dalla Luana... Maradona? Ci sei Maradona? Quel puttaniere di El Diablo s'è innamorato...

– Aspetta, Terè, che tiro giú il sedile... Fammi guardare, che belle tette che c'hai... ti piace cosí, eh? Ti piace? Sentilo, senti com'è duro... ti piace, eh? Ti piace? Mo' te lo ficco dentro tutto, Teresí, cosí duro, ti piace... eh? Ti piace?

– Oh, Anna... sono Walter. Guarda che non è mica al Pilastro quella via lí... a me mi sa che è sui colli, guarda un po'. Oh, però, soccia... potevi farti dire qualcosa anche te, dio bono, una traversa, un angolo, la zona... Dài su, tira fuori una cartina e fammi sentire quella voce sexy che mi dice dove sono perché a cercare quel canchero di stradina mi sono perso anch'io...

A volte, tra *Mostro Cieco* e *Palla Fantasma*, i bambini del cortile si sedevano sul muretto a parlare e ogni tanto mi ci sedevo anch'io. Quell'estate parlavano spesso delle donne che gli piacevano ed era un discorso che mi incuriosiva anche se non riuscivo a seguirli bene perché non intendevano le bambine del cortile, ma quelle che avevano visto al cinema o alla televisione o nelle riviste. Anche a me chiedevano chi mi piacesse, ma come facevo a dirglielo? Come facevo a spiegargli che mi piaceva la Donna dalle Erre Rosa perché aveva la voce blu? Cosí un giorno che non andai all'istituto perché era sciopero, scesi in cortile con una radio, aspettai l'ora giusta e feci sentire ai bambini del muretto la voce della Donna dalle Erre Rosa che cantava *La vie en rose*.

– El Diablo per Rambo... mi copri? Senti un po', cazzone, che stronzate dici in giro? Io corro perché se non consegno entro mezzanotte il culo me lo fanno a me, altro che alla Luana...

– Minchia, Terè... la radio! Hai lasciato la radio accesa! Cosí si sente tutto! Uh, Marò e checcazzo! E te l'avevo pure detto!

– Vaffanculo, Walter! L'omarello ha chiamato e mi ha preso giú il nome!

Questa qui?, mi dissero i bambini.

Ma questa qui è vecchia! Vecchia come il cucco. Ormai sarà morta già da un pezzo...

– Oh, Anna... vai bene a cagare te e la tua voce sexy.

Corsi di sopra lasciando lí la radio e da quel giorno non scesi piú neppure in cortile. Quell'estate morí mio padre e dopo poco smisi di andare all'istituto. Non ho piú sentito quel programma, non ho piú sentito quella canzone, non ho piú sentito una voce blu come quella, fino all'altra sera.

Ecco perché anche questa notte ascolto la città con Chet Baker in sottofondo.

Voce blu... dove sei?

– Voce blu... dove sei?

Grazia si sedette sul letto, di traverso, spostò il cuscino contro il muro perché le tenesse inarcata la schiena indolenzita e con la punta degli anfibi agganciò il traverso della sedia, tirandola piú vicino. Si sentiva le gambe stanche e doloranti e le tenne sollevate sullo schienale, ma gli scarponi le pesavano sulle caviglie, cosí piegò prima un ginocchio poi l'altro, slacciò le cinghie e i lacci e scalciò via gli anfibi premendo sui talloni con uno sforzo che la lasciò senza fiato. Restò un momento a guardarsi i calzini bianchi scesi sulle caviglie e un po' anneriti sulla punta, poi piegò di nuovo le gambe e si sfilò anche quelli. Socchiuse gli occhi, strisciando assieme i piedi velati dalle calze con un ronzio di nylon che era quasi un sospiro di sollievo. Ci volle uno sforzo per infilare una mano nella tasca del bomber che aveva ancora addosso, aperto, e tirarne fuori il cellulare.

– Pronto, Vittorio... – iniziò di slancio, subito bloccata dalla voce della segreteria. Telecom Italia Mobile. Stiamo trasferendo la sua chiamata. Attendere prego. Dopo il segnale acustico...

– Vittorio, sono Grazia. Sono le dieci e mezza di sera, sono nella stanza che mi hanno dato alla caserma di PS e ci sono novità. Il nostro uomo ha ucciso un altro studente. Solo che lo ha fatto con

il corpo di Maurizio Assirelli, già morto nell'omicidio precedente e con le impronte di Alessio Crotti, morto in manicomio nell'89. E questo essere
fatto di due persone già morte è rimasto per quasi una settimana a chattare con qualcuno accanto
al cadavere in decomposizione di Paolo Miserocchi, detto Misero, studente e spacciatore. Io ai fan-
tasmi non ci credo, ma tu mi hai mandato a cercare uno zombie in una città che non conosco. Mi
dispiace ma io mollo e domani me ne scendo a Roma. Se ti interessa chiamami, zero tre tre otto due
quattro cinque otto sei tre. Ciao.

Chiuse lo sportellino del cellulare con un colpo
secco e lo lasciò cadere sulla coperta. Tirò fuori
dalla tasca la statuina di vetro e la tenne sul palmo
della mano, mentre con l'altra si massaggiava la
pancia dura e tesa, poi si strappò dal letto con uno
scatto. Si tolse il bomber, arrotolò il vestito sui
fianchi e lo sollevò sulla testa, lasciandolo cadere
a terra. Infilò i pollici sotto l'orlo dei collant e sfilò
anche quelli, saltando su un piede quando sollevò
la prima gamba. Afferrò anche il bordo della maglietta bianca, indecisa se toglierla e rimanere in
mutande e reggiseno, ma un brivido improvviso le
increspò la pelle sulle braccia e cosí la tenne. Allora si avvicinò al tavolo, rovesciò un astuccio, cercando qualcosa del diametro giusto, si annodò i capelli sulla nuca e ci infilò in mezzo una matita per
tenerli fermi. Poi prese il computer portatile, si
mise sottobraccio un fascicolo verde gonfio di fo-
gli e tornò a sedersi sul letto.

Sul pavimento, al posto del bomber che spostò
con un piede, Grazia lasciò cadere la fotografia di
Alessio Crotti, deceduto il 30-12-1989. Sopra, di
traverso sul volto, ci appoggiò la lucertola di vetro

che cosí, ancora un po' appannata dai vapori di cianocrilato, allungava la faccia di Alessio Crotti in
una espressione deformata.

Sai cosa mi piace di te, ispettore Negro? le aveva
detto Vittorio tanto tempo fa, il primo giorno che
era passato al *tu* dopo un formale *lei* da superiore
d'ufficio, *mi piace questo tuo istinto cocciuto e un
po' animalesco. Questa concretezza selvatica. È per
questo che ti ho fatto chiamare allo* UACS. *Qui noi
siamo tutti psichiatri, criminologi e analisti, tutti teo-
rici... ci mancavi tu, bambina.* E a quel *bambina* lei
aveva sentito un brivido dentro, come un solletico morbido, che l'aveva fatta arrossire. Concretezza selvatica. Istinto animalesco e cocciuto. Cocciuto e concreto.

Grazia fece scivolare a terra la foto di Assirelli,
che rimase un po' sollevata sopra una piega del vestito arrotolato, accanto a quella di Crotti. Maurizio Assirelli. Faccia pienotta, basette a punta e
pizzetto da capra, come aveva detto Anna Bulzamini vedova Lazzaroni. E le cuffie. Pensò. Le cuffie, pensò. Pensò.

Rapida, saltò giú dal letto e facendo schioccare
le piante dei piedi sul pavimento freddo raggiun-
se il tavolo. Tornò sul letto con un cavo e collegò
il telefonino al computer portatile. Numero del
server della Polizia di Stato, Questura di Roma.
Password d'accesso e collegamento allo SCIPS. Di-
rectory: SK-BOLOGNA. Tutte le testimonianze sugli
omicidi collegati.

Grazia intrecciò le gambe e appoggiò i gomiti
sulle ginocchia, piegandosi in avanti verso lo schermo illuminato. Dimenticò il ventre gonfio e il dolore alla pancia che si faceva sempre piú intenso.

Per lo studente di Palermo ucciso sui colli non

c'erano testimoni e neppure per il tossico di San Lazzaro. Ma per la coppia massacrata a Castenaso qualcuno aveva parlato di un ragazzo notato nei dintorni, un tipo strano, con un paio di cuffie da walkman sulle orecchie. Cuffie da walkman sulle orecchie. Magrissimo, quasi scheletrico, aria da tossico e frangia di capelli incordellati, tipo rasta. Tipo rasta.

Grazia si piegò all'indietro e sfilò un'altra foto dal fascicolo verde. Marco Lucchesi, anni 27, nato a Genova in via eccetera eccetera. Precedenti per detenzione e spaccio eccetera eccetera. Deceduto a San Lazzaro il 15.11.1995. Magrissimo, quasi scheletrico, aria da tossico e frangia di capelli incordellati. Tipo rasta.

Grazia scese dal letto. Infilò i pollici sotto le bretelline del reggiseno perché le davano fastidio ma era troppo agitata per toglierselo. Cominciò a mordersi l'interno della guancia finché un crampo al basso ventre non le fece affondare troppo i denti, facendole sentire sulla lingua il sapore dolciastro del sangue. Camminò avanti e indietro per la stanza, poi tornò sul letto.

Caso Lucchesi. Testimonianze. Il cacciatore che alle quattro del mattino trova il cadavere nudo tra l'erba di un fosso. La relazione di servizio della pattuglia dei carabinieri accorsa sul posto. Quella della polizia che due giorni dopo trova la Due cavalli rossa di Lucchesi abbandonata a Ferrara. La Due cavalli rossa.

Caso Graziano. Famiglia borghese. Villetta in affitto sui colli bolognesi. Omosessuale non dichiarato. Quando scompare, la famiglia porta il caso a *Chi l'ha visto*. Nella puntata successiva arriva una segnalazione ma intanto Graziano è stato tro-

vato in campagna, nudo e morto e la segnalazione
si perde. Non era nel computer, ma Grazia aveva
visto la puntata, se l'era studiata, come tutto quello che riguardava il caso. Diceva che un tizio effeminato, con una barbetta nera alla Cavour, cappotto spinato e vistose cuffie da stereo sulla testa,
era stato visto dalle parti di San Lazzaro mentre
saliva su una Due cavalli rossa. Vistose cuffie da
stereo. Barba alla Cavour e cappotto spinato. Effeminato. Grazia lasciò cadere sul pavimento la fotografia di Marco Graziano, anni 25. Era la foto
del libretto universitario e lo ritraeva cosí, barba
alla Cavour e cappotto spinato. Effeminato.

«Merda», pensò Grazia. Lo sguardo le scivolò
dal portatile al pavimento, alla faccia di Alessio
Crotti. Da quell'angolazione, attraverso la lente
deformante della lucertola di vetro, sembrava che
avesse la bocca spalancata in un urlo disperato,
storto e muto.

A ogni omicidio era presente la vittima dell'omicidio precedente.

Grazia staccò il collegamento. Strappò quasi il
filo dal telefonino. Il dolore alla pancia si era fatto ancora piú intenso ma era troppo eccitata per
pensarci. Strinse il nodo attorno alla matita, tirandosi i capelli fino a farsi male e con due salti arrivò in bagno. Acqua fresca sul viso. La mano bagnata premuta sulle labbra. Vittorio.

Quando tornò al letto si accorse che aveva spento il cellulare e che nella segreteria c'era già una
chiamata registrata.

– Pronto, Grazia? Dove cazzo sei? Ho chiamato prima ma era sempre occupato... Senti, cos'è
quel messaggio delirante che ho ricevuto? Sono le
tue cose che ti danno alla testa? Chi è questo Ales-

sio Crotti? Io faccio un controllo ma tu stai sulla chat... analizza le tracce registrate sull'hard disk e scopri chi stava chiamando chi. Per il resto, compresa quella cazzata di mollare tutto, faccio finta di non aver sentito. Ciao, bambina.

Rapida, rapidissima, Grazia compose il numero di Vittorio. Lo ascoltò squillare grattandosi nervosamente la pelle liscia di una natica, poi si prese con la mano le dita di un piede nudo, la punta dell'indice su quella dell'alluce, unghia sotto unghia, nell'angolo.

Telecom Italia Mobile. Servizio di Segreteria Telefonica...

«Merda».

– Dove cazzo sei tu, Vittorio! C'è sempre la segreteria! Allora ascolta... non è un delirio, è un'ipotesi investigativa. Se controlli le connessioni scoprirai una cosa strana. L'omosessuale muore e lo ritrovano nudo in campagna ma qualche tempo dopo è assieme al tossico quando questo viene ammazzato e porta un paio di cuffie in testa. Il tossico resuscita, pure lui con le cuffie e compare a Castenaso quando massacrano la coppia e Maurizio Assirelli, già morto da un pezzo, è ad ascoltare musica in cuffia a casa dello studente che hanno trovato oggi. Non ho controllato, ma vedrai che pure a casa Assirelli c'era Andrea Farolfi, già ammazzato e spogliato nudo da almeno sei mesi. E mi gioco le palle che non ho che in questo momento c'è in giro per Bologna Paolo Miserocchi, morto da una settimana e magari pure lui con queste cazzo di cuffie in testa.

Grazia deglutí a secco, perché aveva parlato in fretta. Inarcò la schiena, tirandosi forte l'alluce. Il dolore alla pancia la costrinse a piegarsi in avanti.

– Hai capito cosa ti sto raccontando, Vittorio? Hai capito cosa succede? Succede che in ogni delitto c'è la vittima del delitto prima, che resuscita e ne ammazza un altro. E allora sai cosa ti dico, Vittorio caro?

Beep. Fine messaggio. Grazie per la chiamata. Zerotretreottoquattroquattroseizeroventidue. Telecom Italia Mobile...

Grazia smise di tormentarsi l'unghia del piede perché stava facendosi male.

– Sai cosa ti dico, Vittorio caro? Che dal momento che a zombie, vampiri e lupi mannari io non ci credo e che quando uno è morto come Assirelli e gli altri è morto e basta, allora ci deve essere una spiegazione razionale a tutto questo casino e deve azzeccarsi con questo Alessio Crotti. Quanto alle mestruazioni, non ti preoccupare... mo' mi vengono, cosí poi ragiono pure meglio.

Chiuse il telefono, poi lo riaprí per controllare che fosse acceso, prima di lanciarlo sul cuscino. Dalla fotografia sul pavimento, Alessio Crotti sembrava fissarla col suo urlo disperato, che quasi le faceva paura. Allora fece passare una gamba oltre il bordo del letto, spostò la lucertola di vetro con un piede e lo mise sulla fotografia, coprendo con l'alluce il volto di Crotti. Alzando e abbassando il dito che si appiccicava alla carta patinata, sotto l'unghia rotonda la faccia appariva e scompariva, sempre disperata, sempre spaventosa. Poi, all'improvviso, uno strappo lento in fondo alla pancia e quella sensazione, umida e vischiosa, tra le gambe. Finalmente.

Grazia afferrò il bomber per il bavero e corse in bagno, un dito agganciato al cavallo delle mutande, per tenerle scostate. Le lanciò nella vasca da

bagno, poi si sciacquò e con la mano asciutta prese la scatolina degli Ob dalla tasca del bomber. Ne
estrasse uno, grattò con un'unghia la linguetta del
cellophane che lo avvolgeva e lo strappò via. Sollevò una gamba, le dita del piede agganciate al bordo della vasca e aveva già separato i fili azzurri in
fondo al cilindro bianco per allargarne la base
quando sentí il trillo del cellulare. Rimase immobile solo un secondo, poi lasciò cadere l'assorbente nel lavandino, afferrò un asciugamano e tenen-
doselo premuto tra le gambe corse fino al letto.

   – Pronto, Vittorio? Dove cazzo...

   Non era Vittorio. Era la voce di uno sconosciu-
to, bassa, impacciata, appena percettibile.

   – Come dice? Chi parla? Non capisco... come ha
avuto il mio numero?

   La voce farfugliava, trattenuta. Sospesa in pause imbarazzate e poi affrettata, con le parole che
si accavallavano l'una sull'altra. Scanner. Cuffie.
Voci della città. Voce verde, la sua voce. Era in
chat con la ragazza, le ha chiesto l'indirizzo...

   – Non capisco... come ha saputo queste informazioni? Lo sa che è illegale, vero? In che senso
è verde? Ha visto qualcosa? Lei ha... cioè, scusi...
lei sarebbe un *cieco*? Sarebbe un *non vedente*?

   Silenzio. Grazia, l'asciugamano appallottolato,
stretto tra le cosce, alzò gli occhi al soffitto, sbuf-
fando.

   – Senta, facciamo cosí, – disse, – lei mi lascia il
suo numero e domani mattina io la richiamo con
calma, cosí possiamo... pronto? Pronto? E vaffanculo...

   Grazia chiuse il telefono. Il trillo improvviso quasi glielo fece cadere di mano. Sobbalzò, allargando
le gambe e l'asciugamano le scivolò sul pavimento.

– Senta un po', lei, si può sapere che cavolo...

– Grazia... sei tu? Sono Vittorio...

Vittorio. Grazia sospirò di sollievo, tirando la maglietta verso il basso, istintivamente, per coprirsi davanti.

– Che succede? Con chi credevi di parlare?

– No, scusa... è che abbiamo appena aperto il caso e già arrivano i mitomani. Doveva essere uno che ha intercettato le mie chiamate e si è intromesso...

– Okay, okay... me lo racconti dopo. Senti, ho pensato a quella cosa che mi hai lasciato nella segreteria e ho fatto un paio di controlli. Questo Alessio Crotti... in effetti risulta morto in un incidente, ma l'episodio non è cosí chiaro come dovrebbe essere. Un corto circuito in una stufetta elettrica, di notte, il Padiglione 4 del manicomio che prende fuoco e salta in aria quando le fiamme arrivano alle bombole d'ossigeno dell'infermeria. Lo psichiatra di guardia e tre degenti polverizzati, sparsi per mezza Bologna.

– Allora è vivo. C'erano le sue impronte a casa di Miserocchi e quindi è vivo. È passato attraverso il fuoco come gli iguana.

– Quelle sono le salamandre, bambina. Però hai ragione... *iguana* mi piace di piú. E tra l'altro, se la tua ipotesi regge, questo Alessio Crotti o chiunque sia, questo tipo cambia pelle ogni volta... proprio come gli iguana. Vedremo di scoprire come e perché, ma intanto... brava bambina. Bel lavoro.

Grazia sorrise. Raccolse l'asciugamano da terra, lo appoggiò sul letto e si sedette. Tirò su le gambe, i talloni sul bordo del materasso, un piede sull'altro e il mento a sfiorare le ginocchia unite.

– Senti, Vittorio, per l'hard disk dello studente... quello ce l'hanno i carabinieri e non lo mollano. Ce l'avremo tra un mese, quell'hard disk, se non ci pensa il magistrato.

– Il caro dottor Alvau è ancora incerto tra la gloria di un caso eclatante e le beghe di una gigantesca rogna. Ci penso io a fargli intravedere il potenziale ritorno stampa di una *Caccia all'Iguana*. Tu stai bene?

– Sí.

– Hai sonno?

– No.

– Meglio, perché lo sai cosa ti aspetta. Di corsa in questura a far partire foto segnaletiche e fonogrammi di ricerca per un tipo con la faccia di Paolo Miserocchi. Sempre che nel frattempo il nostro Iguana non ne faccia fuori un altro. Se cambia faccia, foto e descrizioni non servono piú a niente. Per noi è come essere ciechi.

Grazia abbassò le gambe, facendo rimbombare i talloni sul pavimento.

– Come hai detto?

– Ho detto cosa? Cosa ho detto?

– No, non importa... domani. Ora mi vesto e corro in questura.

– Perché, sei nuda?

– Ciao, Vittorio.

– Ciao, bambina. Te lo ripeto: bel lavoro, complimenti.

Grazia si alzò e tornò in bagno, senza correre. Le tornò in mente la voce incerta del mitomane e pensò «ma no, dài».

Come essere ciechi. Ma no, dài.

Brava bambina, le aveva detto Vittorio, *bel lavoro*. Se cambia faccia vederlo non serve. Ma no, dài.

Si sentiva umida e sporca, tra le gambe. Dove-

va lavarsi, vestirsi e correre di nuovo in questura.
Foto segnaletiche e fonogrammi di ricerca. Paolo
Miserocchi. L'Iguana che cambia pelle.

Meglio qualcuno che sia in grado di riconoscere la voce. Ma no, dài.

Fuori dal bagno, di corsa verso la valigia che teneva aperta sul tavolo, Grazia urtò con un calcio
la statuina di vetro che scivolò contro il muro,
spezzandosi in due.

Un cieco. Ma no, dài.

– Senti, Rita… tu credi che potremo vederci? Tu credi che potremo vederci ORA?

Dice *di solito qui non faccio salire nessuno*.

Dice *con te pero e diverso, l'ho capito subito che sei diverso, che in te c'è qualcosa di speciale*.

Dice *se mio padre sa che sono qui da sola con un ragazzo è la volta che mi ammazza*.

È seduta su una sedia, il braccio appoggiato al bordo di un tavolo da cucina che si sgancia e rientra nel muro. La stanza è piccolissima, una mansardina da studente schiacciata sotto un tetto di travi di legno. Le pareti, gli infissi, il divano, la sedia, i cuscini, le stuoie, i disegni, le statuine di Buddha e i peluche hanno tutti i colori dell'arcobaleno. Io sono seduto sul divano, a mezzo metro da lei.

Dice *io lo so tu come sei*.

Dice *mi sembra di conoscerti da sempre*.

Dice *sei dolce, sensibile e dolce*.

È seduta su una sedia, il braccio appoggiato al bordo del tavolo e due dita della mano dentro la scollatura della maglietta arancione. Gioca con un laccio di cuoio che porta al collo e ogni tanto, tra la stoffa e le dita, le spunta un ciondolo col simbolo dell'acquario fatto di fili di rame intrecciati. Ha una gamba accavallata ad angolo retto sull'altra e i calzoni di tela indiana le si sono arricciati sul polpaccio. Alla caviglia ha un laccetto di coto-

ne colorato, verde, giallo e rosso. Io sono a mezzo
metro da lei, seduto.

Dice *senti, se adesso suona il campanello non ba-
darci è solo un mio amico del Dams, uno tutto pieno di piercing, sai quegli anellini, che viene a portar-
mi un telefonino*.

Dice *senti, non pensare che io sia una cosí, è il mio
amico che li clona e facciamo delle bollette pazzesche
ai fighetti che ce l'hanno davvero*.

Dice *senti, non pensare che sia il mio ragazzo, io
sono sola, soprattutto dentro. Sarà per questo che non
trovo mai quello giusto?*

È seduta su una sedia, il braccio appoggiato al
tavolo. Sulla caviglia ha il segno rosso e intermittente di un graffio che parte da sotto il laccetto e
si perde dietro l'osso rotondo del malleolo. Sul dorso del piede, tra due vene azzurrine appena spor-
genti, la trama sottile e arrossata lasciata dall'interno dei tubolari di spugna. L'unghia chiarissima
dell'alluce è attraversata da un solco quasi invisibile, piú lucido e scuro. Io. Mezzo metro. Seduto.

Dice *ma mi senti con quelle cuffie che hai nelle
orecchie?*

Dice *cosa stai bisbigliando?*

Dice *perché mi guardi cosí?*

Improvvisamente, sento che la pelle del viso mi
si è screpolata in miliardi e miliardi di sottilissime
crepe. La sento che mi si spacca e staccandosi a
scaglie mi scivola lungo le ossa, lasciandomi il te-
schio lucido e nudo. Gli occhi, senza piú palpebre,
mi rotolano in avanti e si fermano incastrati sul
bordo delle orbite. Lei continua a fissarmi, seduta accanto al tavolo e mi chiedo come mai non se
ne accorga. Sono solo a mezzo metro.

Dice *perché mi guardi cosí?*

Da dentro la testa, qualcosa mi spinge in avanti le ossa del viso. La fronte, gli zigomi e la mandibola si inclinano in fuori seguendo il foro del naso, che sporge come la punta di un cono. Gli occhi mi si gonfiano, schiacciati contro l'arco delle sopracciglia e finiranno per scoppiarle addosso. Possibile che non se ne accorga?

Dice *perché mi guardi cosí?*

Dice *perché mi guardi cosí?*

Dice DIO MIO, PERCHÉ MI GUARDI COSÍ?

— PERCHÉ MI GUARDI COSÍ?

Parte seconda
Reptile

Angel bleed from the tainted touch of my caress
need to contaminate to alleviate this loneliness...

Gli Angeli sanguinano al tocco impuro della mia carezza
devo contaminarmi per alleviare questa solitudine...

NINE INCH NAILS, *Reptile*.

Un appunto di Vittorio, a matita, in un angolo
del primo foglio. La sua calligrafia veloce e inclinata, al limite del comprensibile.
Vita, morte e miracoli di Alessio Crotti, l'Iguana.
Ci sentiamo quando torno dal convegno di Wa-
shington.
Buon lavoro, bambina.

Il primo foglio. Intestato UNITÀ PER L'ANALISI
DEI CRIMINI SERIALI (UACS).
Sotto: PSYCHOLOGICAL OFFENDER PROFILE (POP):
PROFILO PSICOLOGICO-COMPORTAMENTALE DI CROT-
TI ALESSIO, NATO A CADONEGHE (PD) IL 26/10/1972,
SOSPETTATO DEI REATI DI CUI AL SEGUITO.
Netto sulla carta bianchissima da stampante a
getto di inchiostro, il timbro blu del corriere del-
la polizia.
E la data: 21.03.1997.

Il secondo foglio. TESTIMONIANZA DEL DOTT. MA-
RIANI FRANCESCO, NEUROPSICHIATRA INFANTILE
(STRALCIO).
A macchina, le *g* fuori asse, leggermente sbiadite sul fondo di una carta porosa e giallastra. La gra-
fite della matita di Vittorio sgranata in un segno
dritto e nerissimo, sotto alcune frasi.

– [...] Per dovere di chiarezza e non per scaricare eventuali responsabilità su altri, devo premettere che ho avuto un solo colloquio con il Crotti Alessio, all'epoca (12.07.83) di anni 11, residente presso il Pio Istituto di Educazione del Giovane. Durante il suddetto colloquio rilevai che:

– l'attività masturbatoria del Crotti Alessio, principale motivo della visita richiesta dai responsabili del Pio Istituto, appariva perfettamente normale in relazione alla fase puberale che il bambino stava attraversando;

– *i disturbi dell'udito* talvolta lamentati dal Crotti Alessio (parziale sordità, *percezione di rumori indefiniti, sibili*) erano inesistenti, frutto del desiderio di attirare l'attenzione su di sé proprio di un bambino in collegio dall'età di cinque anni;

– idem per l'abitudine di *mangiarsi la pelle dei polpastrelli* e per il suo rimanere a lungo *in contemplazione del proprio volto riflesso in uno specchio*;

e quindi, dato che per quanto tendenzialmente solitario e taciturno, il bambino appariva sostanzialmente intelligente e dotato, pronto di riflessi e di carattere obbediente e mite, lo giudicai assolutamente sano e perfettamente normale.

Nessuno mi ha mai riferito degli incubi notturni, *delle fantasie sui draghi* o dell'*episodio della Sala dei Giochi*. Dai suoi tutori ho avuto solo notizie riguardanti la sua attività masturbatoria. [...]

Vittorio, a matita, sul margine del foglio.
I draghi?
La Sala dei Giochi?
E poi una freccia dritta fino all'angolo destro, verso il terzo foglio.

Spesso, a virgole ruvide sul grigio chiaro da carta riciclata. OMG-*Progetto São Bernardo-Salviamo la foresta* stampato in filigrana sui margini.

Il terzo foglio. TESTIMONIANZA DI PADRE GIROLAMO MONTUSCHI, PIO ISTITUTO DI EDUCAZIONE DEL GIOVANE.

– Premetto che non sono né uno psichiatra né uno psicologo ma solo un frate e che spetta ad altri riflettere e giudicare. Bisogna considerare che il piccolo Alessio era stato concepito fuori dal matrimonio, che il padre naturale non aveva voluto riconoscerlo e che la madre lo aveva messo in collegio molto presto *perché il convivente non lo voleva in casa*. La madre, Albertina Crotti, morí qualche tempo dopo, quando Alessio aveva dodici anni e in tutto quel tempo sarà venuta a trovarlo sí e no una decina di volte. Un orfano, insomma.

Per questo non mi preoccupai molto quando tra i cinque e i sei anni il bambino cominciò a svegliarsi spesso la notte per un incubo ricorrente che lo faceva urlare, disturbando tutta la camerata. Diceva di sognare un drago coperto di squame che, secondo le sue stesse parole, *gli saltava sul petto e gli mangiava la faccia*, ma siccome la televisione aveva recentemente trasmesso un documentario intitolato *Galapagos: gli ultimi draghi* che aveva notevolmente impressionato anche gli altri bambini, non detti molta importanza alla cosa. Del resto, al piccolo Alessio interessavano molto i libri illustrati con gli animali esotici, le tribú selvagge di Paesi lontani, tutte queste cose avventurose, insomma.

Mi preoccupai di piú qualche tempo dopo, la notte che padre Filippo mi venne a chiamare perché il piccolo Alessio non era piú in camerata. Lo trovammo oltre il Refettorio, nella Sala dei Giochi in fondo all'Istituto, al buio. *Era tutto nudo, davanti a uno specchio e si stava dipingendo dei cerchi sulla faccia, con pennarelli di tutti i colori.*

Lo punimmo con il dovuto rigore e visto che in seguito non lo fece piú, mi dimenticai dell'episodio.

Un «post it» azzurro appiccicato sulla sinistra, quasi a metà del foglio.

Vittorio.

Hai visto, bambina? Si spoglia nudo. Si guarda allo specchio. Si dipinge la faccia a cerchi come i guerrieri Maori dei libri illustrati e sogna gli iguana delle Galapagos.

Si maschera.

Perché?

E poi sente i rumori.

Quali?

Tu prendilo, intanto. Prendilo, bambina.

E trova quel cieco.

Questa notte l'ho sognata.

L'ho sognata come sogno io le cose, onde solide di calore che mi scivolano addosso, sul volto e sulle dita. Odori che mi avvolgono e mi girano attorno. Sapori, anche, in cui mi muovo e che posso prendere e stringere tra le mani. Ma soprattutto suoni, il suono della sua voce blu che mi si scioglie lentamente dentro la testa, come la neve tenuta sul palmo della mano. Però non fredda, calda. E dolce sulla lingua. E nel naso quell'odore di ferro e di fumo, forte, aperto e fresco, che hanno a volte certe mattine attraverso una grande finestra.

È stato un sogno lungo e morbido, che è rimasto a pesarmi dentro, da qualche parte tra lo stomaco e il cuore, anche dopo che mi ero già svegliato da un pezzo.

Ai suoi appelli, però, non ho risposto.

Li ho sentiti diverse volte per radio e so che erano anche sui giornali e in televisione, perché mia madre è salita da me, una volta, a chiedermi se ero io quello di cui parlavano a *La cronaca in diretta*. Erano indirizzati al non vedente che aveva chiamato la settimana prima. Che si rimettesse in contatto al piú presto con l'ispettore Negro. Al piú presto. Per favore.

Non l'ho fatto.

Non l'ho chiamata. Perché in tanti anni che ascolto le voci della città con il mio scanner e sento scambi di indirizzi, nomi e numeri di telefono, non mi ero mai intromesso e non avevo mai contattato nessuno. Mai. Perché avrei dovuto farlo? Per dire cosa? Per farmi dire cosa? Quella notte, però, è stato diverso. Lei soffiava fuori le parole con tanto entusiasmo e allo stesso tempo le teneva un po' a vibrare sulle labbra, come se avesse paura a lasciarle andare. Io volevo aiutarla. Aiutarla a spingerle fuori, a soffiarle come una bella nota rotonda e piena, squillante come un assolo. Volevo mettere un po' di giallo e di rosso nella sua voce blu. Volevo aiutarla.

Non l'ho chiamata. Ma sapevo che prima o poi mi avrebbe trovato lo stesso.

Mia madre.

– Simone, sei lí? Ci sono dei signori che vogliono parlarti...

Mi alzo e tocco la lampadina dell'abat-jour che ho sul tavolo per sentire se è spenta. Poi torno sul divano, tiro su le gambe e giro la faccia verso il muro. Questa volta, però, non serve a niente fare finta di dormire.

– Simone? Dio che buio... adesso vi accendo la luce. A volte resta accesa per giorni e a volte invece... sapete com'è. Simone... cosa fai, dormi?

Lo scatto del pulsante mi avverte che adesso c'è la luce nella mia mansarda. E c'è gente. Tanta. C'è mia madre che fruscia leggera attraverso la stanza, sposta la sedia girevole che ho davanti al computer e dice: – Prego, accomodatevi – e: – Simone, dài, tirati su –. C'è un uomo vicino alla porta che fa sibilare tra i denti un respiro spesso da fumatore. E ce n'è un altro, accanto a lui. Ha tirato su col naso e sta giocando con un tintinnio irregolare, opaco e attutito, come di monete in una tasca.

Ma lei, dov'è?

– Sono l'ispettore Negro, signor Martini. Con
me ci sono anche l'ispettore Matera e il sovrintendente Sarrina, della Polizia di Stato. Siamo
contenti che abbia accettato di veder... di incontrarci.

Non dico niente. Mi alzo a sedere sul divano e
incrocio le braccia sul petto. Un gemito di suole di
gomma si avvicina cigolando sul pavimento. La
sento che stacca le labbra e prende fiato prima di
parlare, un respiro corto, come se volesse gonfiare le parole per farle uscire in fretta dalle labbra,
tutte assieme. È imbarazzata.

– Mi chiamo Grazia, ho ventisei anni, sono di
media statura, scura di capelli, indosso un bomber
verde oliva e sono in piedi davanti a lei, signor
Martini.

– E allora?

Mia madre: – Simone!

– Credevo che volesse sapere come sono... ho
visto che guardava da un'altra parte e allora...

– Non guardo da nessuna parte, ispettore. Io
non posso guardare.

– Simone!

– Mi scusi. Pensavo che volesse, diciamo cosí...
visualizzarmi.

Sorrido.

– Ah sí? E con che cosa?

– Simone!

Lei non dice nulla. Sento un fruscio di stoffa
sintetica, come se si voltasse e per un attimo penso che se ne stia andando via. No, non *penso*... ho

paura che se ne stia andando via. Ma non sento il gemito delle sue suole di gomma. La sua voce ha soltanto cambiato direzione.

– Potrei rimanere un momento da sola col signor Martini? Anche lei, signora, grazie.

Respiro sbuffa piú forte. Cento Lire dice: – Prego, signora, solo un momentino –. Mia madre dice: – Ma... – poi la maniglia cigola e la porta si incastra nello stipite con un sospiro definitivo. – Ma... – ripete mia madre, lontana, sulle scale, – ma...

Siamo soli. Le rotelle della sedia che ho davanti cigolano sul pavimento. Il cuscino sul sedile soffia. Si è seduta e deve essersi chinata in avanti, con i gomiti sulle ginocchia, forse, perché sento la sua voce vicino al mio viso.

– Signor Martini... posso chiamarla Simone? Possiamo darci del tu?

– No.

– Senti, Simone...

Perché all'improvviso mi viene in mente questo accenno di musica lontana e impalpabile, come una piega sottile nella stoffa che si scioglie appena cerco di toccarla? È l'inizio di qualcosa, l'attacco di un brano, forse, che non riesco a ricordare.

– Lo so che dovrei chiederti scusa. Lo so che dovevo ascoltarti meglio quando mi hai chiamato e che se ti avessi dato retta magari avremmo salvato la ragazza... magari. Ma in quel momento ero distratta, avevo altro per la testa e davvero, non ho capito niente di quello che mi dicevi.

È un movimento rapido, l'agganciarsi di due note che scorre subito via, cosí veloce che non riesco a prenderlo. Che cos'è? Ha a che fare con il suo odore, l'ho sentito assieme a quello. Non è un odore gradevole, il suo. È odore di fumo vecchio as-

sorbito dalla stoffa fredda del giubbotto, acido di
sudore e un po' dolce, come di sangue, come quello di mia madre in certi giorni. Quella musica,
però, quelle note che si agganciano non sono cosí.
Sono diverse. Nell'odore che sento c'è qualcosa di
piú.

– Comunque è solo colpa mia e sarà una cosa che
mi porterò dietro per tutta la vita. Ma non adesso, adesso non c'è tempo. Adesso c'è una persona
che dobbiamo trovare e prendere. Io... io vorrei
che tu potessi vedere la fotografia di quella ragazza... la fotografia di dopo che l'abbiamo trovata.
Me la sono portata dietro, cosí, da stupida, senza
pensare che per un non vedente...

– Non sono un non vedente. Sono un cieco.

Sospira. Per un attimo sento ancora il suo fiato
sul viso e di nuovo quell'accenno di musica, corto
e sfuggente. Come la sensazione del suo respiro
sulla mia pelle, prima fresca sulle guance e sulle
labbra e subito dopo calda, ma ancora morbida.

– Senti, Simò, facciamo cosí... non mi correg-
gere piú. Tanto lo so che come parlo sbaglio. Se
vuoi imparo, magari mi insegni tu... ma dopo.
Adesso non c'è tempo. C'è un mostro in giro che
ammazza le persone in un modo che non ti immagini nemmeno. L'abbiamo chiamato Iguana perché è come se cambiasse pelle e ha sempre una faccia nuova ma questa volta la faccia non ce l'ha perché la ragazza che ha ucciso era vestita e quindi
deve essersene andato con qualcun altro. Se vuoi
ti spiego, ma dopo... adesso non c'è tempo, Simò.

Quelle note. Un basso che attacca e una chitarra e poi? Erba, erba fresca appena tagliata.

– L'unico che sappia riconoscere l'Iguana sei tu,
perché l'hai sentito parlare, me lo hai detto tu che

l'hai sentito e dal momento che sei un non... che
sei un cieco, va bene e che tua madre mi ha rac-
contato cosa fai con lo scanner tutto il giorno, io
e Vittorio abbiamo pensato...

– Chi è Vittorio?

– È il mio capo, Vittorio Poletto. È un dirigente dello UACS e se vuoi ti spiego cos'è lo UACS ma
dopo. C'era la batteria di ricambio di un telefonino nell'appartamento della ragazza e noi crediamo
che l'Iguana userà presto un cellulare, o ancora una
chat line. Crediamo... o meglio, speriamo che possa essere intercettato di nuovo da uno scanner come il tuo. Vogliamo che tu resti in ascolto finché
non lo sentirai di nuovo perché sei l'unico che può
riconoscere la sua voce. Vogliamo che ci aiuti. Ma
non abbiamo molto tempo, quindi o mi dici di sí
o mi dici di no. Ma subito. O sí o no. Subito.

Si è fatta avanti. Ha fatto strisciare le ruote della sedia sul pavimento con un sospiro raschiato e
si è avvicinata a me. E cosí l'ho sentito bene il suo
odore e all'improvviso mi sono ricordato la musica. È *Summertime*, ma non quella maestosa e un
po' triste che si sente di solito, è quella frizzante
e strana che usano nella pubblicità di un deodorante. Perché è quello l'odore coperto dal fumo del
giubbotto e dall'acido dolciastro della pelle, è
l'odore fresco e un po' selvatico di un deodorante
che riesco a sentire solo ora che si è avvicinata. E
non importa se non è lo stesso deodorante della
pubblicità, non importa se nell'associazione che ho
avuto c'entra la musica, il nome o questo odore
frizzante da mattina d'estate. So che d'ora in poi
lei sarà quella musica e l'avrò in mente tutte le volte che la penserò o la sentirò parlare. E so che mi
mancherebbe, se non potessi sentirla piú.

Per questo, anche se ho paura, anche se non vorrei, stringo le labbra e annuisco.

– Sí, – dico, – sí, va bene. Vi aiuterò.

Il trillo affusolato della posta elettronica nel portatile di Grazia. Un messaggio in Eudora, *from* v.poletto@mbox.vol.it *to* g.negro@mbox.queen.it, soggetto: Iguana. Tre files in attachment.

La freccina del cursore sulla scritta OK chiusa nel quadrato grigio.

CLIC.

Ti chiamo appena torno da Milano.
Prendilo.
V.

Il primo file.

TESTIMONIANZA DEL DOTT. DON GIUSEPPE CARRARO, PSICOLOGO (STRALCIO).

– [...] Senza voler con questo attribuire responsabilità ad alcuno, premetto fin da ora che intendo ricusare decisamente ogni addebito di aver sottovalutato il caso, soprattutto alla luce dei ben noti avvenimenti di poi.

Quando mi sono interessato ad Alessio, il ragazzo aveva quasi 14 anni, aveva finito le Scuole Medie presso il Pio Istituto e ne era uscito con una borsa di studio per frequentare Ragioneria. Viveva da qualche mese alla Casa dello Studente, in un appartamento diviso con due ragazzi parimenti mantenuti agli studi col sostegno dei religiosi.

Inizialmente la convivenza fu difficile, tanto da richiedere a volte il mio intervento quale psicologo e consigliere spirituale della Casa. I ragazzi si lamentavano che Alessio li disturbasse bisbigliando in continuazione tra sé e sé e ascoltando musica a volume eccessivo anche attraverso le cuffie del registratore portatile.

Parlai con Alessio il quale mi spiegò che bisbigliava perché era solito recitare le preghiere a mezza voce, cosí risolsi il problema suggerendogli di pregare in silenzio. Quanto alla musica gliela proibii decisamente, consapevole dell'influenza nociva che ha sull'animo dei ragazzi (esistono numerosi studi al riguardo che evidenziano perfino l'ispirazione demoniaca di certo cosiddetto «rock satanico»!!!)

Sembrava tutto risolto e per almeno un anno Alessio ha continuato a comportarsi normalmente, studiando con coscienza, partecipando ogni domenica alla Santa Messa e comunicandosi con regolarità.

Non avevo elementi per sospettare quello che sarebbe accaduto in seguito. In nome di Dio, come potevo immaginarlo?

Il secondo file.

QUESTURA DI BOLOGNA. UFFICIO CONTROLLO DEL TERRITORIO. RELAZIONE DI SERVIZIO N. 1234.

– [...] Il sottoscritto Assistente Alfano Nicola, capo equipaggio della Volante 3, unitamente all'agente De Zan Michele, riferisce che alle ore 21:00 del 19.03.1986, come richiesto dal Centro Operativo si recava in via Boccaindosso n. 35,

presso la Casa dello Studente. Saliti al secondo piano seguendo le urla e i rumori concitati che da es-
so provenivano facemmo irruzione nell'appartamento 17, dove prestammo immediato soccorso a
un giovane riverso sul pavimento. Constatatone il
decesso, il sottoscritto proseguiva alla volta del
corridoio lasciando indietro l'agente De Zan, bloccato da un improvviso malore alla vista delle con-
dizioni del suddetto giovane. In fondo al corridoio, il sottoscritto rinveniva un secondo giovane
nascosto sotto un tavolo in evidente stato di choc
e posta mano alla pistola d'ordinanza procedeva a
irrompere nella cucina dell'appartamento, dove
procedeva all'arresto di un terzo giovane in seguito identificato come Crotti Alessio, di anni 15. Il
Crotti si presentava alla vista completamente nudo e col volto imbrattato di salsa di senape prele-
vata dal frigorifero aperto. Urlava e ringhiava ed
era in tale stato di frenetica agitazione che non fu
facile immobilizzarlo e mettergli le manette.

    Il terzo file.
    *Sta cercando una maschera. Continua a spogliarsi
nudo e a imbrattarsi la faccia come un primitivo perché ancora non sa di averla trovata e proprio grazie a
quella maledetta sera di marzo. La violenza con cui
reagisce alle provocazioni degli studenti gli mostra la
strada e il manicomio gli fornisce l'occasione.*
    Sai che succede dopo, bambina?
    *L'Iguana viene ricoverato in psichiatria con un
Trattamento Sanitario Obbligatorio e là gli prendono le impronte che hai trovato tu. Resta tre anni in
manicomio giudiziario dove lo curano con 50 mm
di Aloperidolo Decanoato ogni 15 giorni e intanto
gli fanno test, ipnosi e terapia conoscitiva. Finché il*

Padiglione 4 non salta per aria, privandolo di quella identità da cui cerca di fuggire.

Bum! Alessio Crotti non c'è piú.

Adesso è veramente nudo.

Ora c'è bisogno di un'altra identità.

Di un'altra maschera.

Ora c'è l'Iguana.

Ecco perché ammazza la gente. Di piú: la sbrana, la spappola, la distrugge. L'annienta. La spoglia nuda, si spoglia nudo e ne assume l'aspetto, come se si rivestisse di una seconda pelle.

Ma perché? Da cosa fugge? Quando è tutto solo, piegato su se stesso come un feto e immerso in quella musica che lo circonda come liquido amniotico, a che cosa pensa? Di che cosa ha paura?

Prendilo, bambina.

Prendilo, bambina.

Piazza Verdi, a Bologna, è una piazza rettangolare che si allunga a metà di via Zamboni, la via dell'Università. Seguendo la direzione della strada i portici si piegano, curvano a sinistra, lentamente e lí si apre la piazza, forata cinque volte da strade dritte come i raggi di un sole da bambini, nette, sparse e anche loro coperte di portici. Sotto i portici, a Bologna, è un po' freddo anche nei pomeriggi di aprile, perché il sole di primavera non ci arriva, c'è l'ombra sotto i portici e a volte, quando il sole se ne va del tutto, c'è il buio.

Prendilo.

A Grazia i portici non piacevano. Camminava avanti e indietro, lentamente, in mezzo alle bancarelle di libri a metà prezzo esposti in un angolo della piazza, tra il palazzo della mensa studentesca e la saracinesca abbassata della cooperativa universitaria. Lí, sui teloni delle bancarelle, bianchi come tendoni nel Sahara, il sole di primavera riverberava tutto e Grazia si era tolta il bomber, se l'era fatto scivolare sul sedere per coprire la pistola e si era annodata le maniche attorno alla vita.

Prendilo, bambina.

Grazia sorrise, il labbro inferiore storto in una piega cattiva, stretto tra i denti a staccare pezzetti di pelle dall'interno, poi gettò sulla bancarella il libro che fingeva di guardare, con tanta rabbia che il commesso si allungò sulla tavola per voltarlo e vedere il titolo.

Questa città, le aveva detto Matera, non è come le altre città. Prima, mentre correvano in macchina a cercare una ragazza che divideva l'appartamento con la studentessa uccisa, Matera aveva battuto le nocche sul vetro del finestrino e piegato la testa su una spalla, a indicare fuori. Questa città, le aveva detto, non è quello che sembra. Lei dice piccola perché pensa a quello che sta dentro le mura, che è poco piú di un paese, ma questa città lei non la conosce, ispettore, non la conosce proprio. Questa che lei chiama Bologna è una cosa grande che va da Parma fino a Cattolica, un pezzo di regione spiaccicato lungo la via Emilia, dove davvero la gente vive a Modena, lavora a Bologna e la sera va a ballare a Rimini. Questa è una strana metropoli di duemila chilometri quadrati e due milioni di abitanti, che si allarga a macchia d'olio tra il mare e gli Appennini e non ha un vero centro ma una periferia diffusa che si chiama Ferrara, Imola, Ravenna o la Riviera.

L'amica della ragazza uccisa stava in una delle case occupate di via del Lazzaretto. Sara: ventitre anni, capelli corti e rosa, un orecchio traforato da una fila di anellini sottilissimi, le braccia ritirate dentro le maniche della camicia scozzese a quadretti enormi, le dita appena visibili, agganciate al bordo dei polsini. Nervosissima: avanti e indietro per l'appartamento che sembrava in tutto e per tutto quello di una normalissima casa popolare. No: con Rita non ci abitava piú da un pezzo. Soldi: finché faceva Lettere moderne suo padre le mandava un vaglia da Napoli, poi aveva mollato e allora lui col cazzo. Quattro mesi fa: ciao Rita, ho trovato un posto in una casa occupata in via del Pratello, cosí non spendo niente, poi quando il Comune aveva fatto sgomberare si era trasferita con gli altri in via del Lazzaretto. Però prima le aveva trovato un'altra compagna per dividere l'appartamento.

La luce, in aprile, cambia in fretta quando cala il sole. Le ombre sotto i portici si arrossano, si macchiano, quasi, tagliate dai raggi giallastri che entrano dritti sotto le volte, scivolano veloci sui muri e a fissarli, tenendo lo sguardo fermo verso il fondo delle colonne, brillano insanguinati agli angoli degli occhi. Quando il sole sparisce dietro i tetti e la luce diventa piú opaca, velata dal filtro violaceo delle nuvole piú basse, le ombre sotto i portici si fanno prima grigie, di un grigio metallico e un po' elettrico, poi azzurre, di un azzurro carico da ferro, cromato e quasi blu. Anche piazza Verdi cambia in fretta come la luce e alle sette e un quarto è già diversa da come era alle sette.

Grazia se ne accorse quando passò davanti alla biblioteca universitaria. Il bidello che stava chiudendo la porta fece scrocchiare la chiave nella serratura e le lanciò un'occhiata cattiva, perché si era fermata accanto a lui e aveva messo un piede su un gradino, come per entrare. Invece voleva solo allacciarsi una scarpa e appena alzò la testa vide che sotto i portici, tra i manifesti dei concerti appesi uno sopra l'altro sui muri, tra le scritte in arabo schizzate sulle colonne e i volantini delle copisterie accartocciati per terra, non c'erano piú studenti, e anche il tossico che chiedeva gli spiccioli davanti al Comunale aveva infilato le mani

nelle tasche del giubbotto ed era andato a sedersi sugli scalini del teatro.

Questa città, le aveva detto Matera, non è come le altre città. Perché non è soltanto grande, è
anche complicata. E contraddittoria. Se la guardi
cosí, camminandoci dentro, Bologna sembra tutta portici e piazze ma se ci vai sopra con un eli-
cottero è verde come una foresta per i cortili interni delle case, che da fuori non si vedono. E se
ci vai sotto con una barca è piena di acqua e di ca-
nali che sembra Venezia. Freddo polare d'inverno
e caldo tropicale d'estate. Comune rosso e coope-
rative miliardarie. Quattro mafie diverse che invece di spararsi addosso riciclano i soldi della droga di tutta l'Italia. Tortellini e satanisti. Questa
città non è quello che sembra, ispettore, questa
città ha sempre una metà nascosta.

La compagna nuova della ragazza uccisa: Stefania, venticinque anni, maglioncino blu e camicet-
ta bianca con colletto di pizzo, spilletta di perle e
fedina d'oro, capelli lisci e biondi, Economia e
Commercio. No guardi: un paio di giorni e già
l'avevo capito che la convivenza era difficile. Quella: diventava isterica tutte le volte che mi suonava il telefonino. Io: passino i Buddha e la New Age
tutto il giorno, che piace anche a me perché rilas-
sa, ma tutto quell'incenso mi faceva impazzire.
Quella: sempre attaccata al computer a cercare
l'anima gemella su Internet, mi sa che era il tipo
da suicidarsi al passaggio della cometa. Io: tra una
settimana vado a Londra a fare un master di
marketing con il progetto Erasmo. L'appartamento in cui stava adesso l'aveva trovato con un an-
nuncio in bacheca, foresteria ristrutturata solo uso
studio ma tanto chi viene a controllare, due stan-

ze con bagno e cucina, due milioni e otto al mese divisi in quattro ragazze, tutte di Pesaro, tutte di Economia. L'unico problema: capire di chi era quando suonava un telefonino.

Prendilo.

Grazia si sedette sullo zoccolo di pietra del portico, tra due colonne, dove la strada si abbassava tanto che riusciva appena a sfiorare l'asfalto con la punta gommata delle scarpe da ginnastica. Si piegò in avanti, ad appoggiare le braccia sulle ginocchia, ma poi si ricordò della pistola che portava dietro e raddrizzò la schiena, perché non le spuntasse da sotto il bomber. Si girò, anche, a guardare il tossico che stava seduto sui gradini del Comunale, ma sembrava troppo impegnato a sciogliere i lacci di un sacco a pelo per aver notato qualcosa.

Prendilo.

Prendilo, bambina.

Merda.

Questa città, aveva detto Matera, non è come le altre città. Perché lei dice l'Università, ispettore, battiamo l'Università, cerchiamo tra gli studenti, frughiamo nei loro bar, negli appartamenti, alle mense... l'Università, ispettore Negro? L'Università? Quella è una città parallela, di cui si sa ancora meno. Studenti che vanno e che vengono da tutta l'Italia, che lasciano i corsi e poi li riprendono, che dormono da amici e parenti, che subaffittano, sempre in nero e senza ricevute e documenti. Ma lei lo sa che negli anni Settanta stavano tutti qui i terroristi, tutti nascosti a Bologna e lo sa perché? Perché in qualunque città un ragazzo strano, con un accento strano, che entra ed esce di casa a tutte le ore del giorno e della notte e non si sa chi è, cosa fa e di che vive e a volte sparisce e poi torna, in qualunque altra città sarebbe stato notato da qualcuno, ma a Bologna no. A Bologna questo è l'identikit dello studente medio. Lei dice l'Università, ispettore? L'Università è una città clandestina.

Stefania, prima, mentre già erano sulla tromba delle scale: ora che mi ricordo, c'era un tipo magro, alto, tutto pieno di anellini, Dio che schifo, che una volta l'ho anche accompagnato a casa. Via Altaseta quattro: ultimo piano. Nicola: ventisette anni, basso, grassottello, Anatomia Due aperta sul tavolo della cucina. Niente piercing: no, scusate, ma io non c'entro niente, sono solo di passaggio. Questo posto: me l'ha mollato un mio amico intanto che preparo l'esame, perché se non lo do mi tocca partire militare e allora non importa che mi cerco un appartamento a Bologna. Il mio amico: in realtà non è proprio un mio amico, è un amico di un amico che ho visto solo quando mi ha dato le chiavi. Sí: è un tipo alto, tutto pieno di anellini. Sí: il mio amico mi ha parlato di lui. Sí: mi ha detto come lo chiamano. Luther Blissett. In che senso: non sapete cos'è Luther Blissett? Luther Blissett è un nome collettivo, un nome multiplo, tutti quelli che fanno qualcosa e poi si firmano cosí, artisti e corsari informatici. Un'identità di comodo. Dire Luther Blissett è come dire: niente.

Grazia saltò giú dallo zoccolo, spazzandosi il fondo dei calzoni con le mani aperte. Da dietro l'angolo del Comunale, dove la strada si allarga in un parco di cemento, erano usciti Matera e Sarrina assieme a Rahim, ventun anni, tunisino, clandestino e spacciatore, torchiato senza Grazia dietro i graffiti del muro di cinta, perché non si cucisse davanti a uno sbirro che non conosceva. Aveva aspettato, impaziente, tutto quel tempo, da sola e le sfuggí un gemito deluso quando Sarrina la guardò scuotendo la testa, mentre Matera fissava Rahin e gli puntava un dito dritto sulla faccia con quello sguardo che hanno i poliziotti quando non hanno niente da chiedere perché hanno già chiesto tutto, ma vorrebbero sapere ancora qualcosa.

Quando cala il sole, quando se ne va via del tutto dietro le case e cosí basso che sembra sceso sotto terra, in piazza Verdi si accendono i lampioni. E finché non si scaldano, finché sono ancora tiepidi, opachi e pallidi, la luce resta in alto, come attaccata al vetro e non scende sotto i portici, dove le ombre sono piú ombre delle altre e i volti sono neri.

Dia retta a me, ispettore, le aveva detto Matera. Questa città non è come le altre.

Le voci di certi veneti si dicono *cantanti,* io le dico *cantanti,* perché si alzano e si abbassano come seguissero il ritmo di una canzone. Su e giú, su e giú lungo la frase che sale dall'alto della gola ed esce dal naso, distrattamente, come una canzoncina soprappensiero, cantata a bocca chiusa. Poi, sembra che all'improvviso si ricordino del ritmo e la frase si tronca in un finale a ricciolo, che sembra tornare indietro.

– Ma va' in mona! Lo sapevi che la macchina me serve perché xe lo sciopero dei treni e allora io come ghe torno a ca'?

Le voci di certi lombardi, dei bergamaschi, per esempio, si dicono *ritornanti,* perché anche loro si chiudono alla fine ma è un ricciolo piú spesso e duro. È proprio un tornare indietro su una frase che si lancia veloce e quasi a voce piena ma poi spinge sulla penultima sillaba e la piega in su, lasciando sfumare il resto.

– Sentí! La macchina mi servi-iva a mè e allo-ora? E vienici anche te a senti-ire i Soundga-arden, no?

Le voci di certi emiliani si dicono *scivolanti,* perché si aprono sulle vocali come se ci scivolassero sopra e le allungano, le allargano da dentro come un dito piantato nella pastella morbida di una torta, che gira su se stesso. Se sono di Parma arrotano la *erre* e se sono di Modena o di Carpi a volte chiudono l'ultima sillaba sulle *o*, anche loro in un ricciolo stretto e duro.

– Eh, soccia che ma*rr*aaglio... adesso mi chieedi i biglietti per i Soundgaaa*rrr*den? Eh fiiiga!

Le voci di certi liguri si dicono *correnti*, perché spesso all'inizio della frase la voce fa una pausa, come per prendere fiato e poi scatta e le parole si rincorrono veloci, una attaccata all'altra, come se cercassero di prendersi, finché non si fermano di colpo e si alzano e si abbassano in due note, sull'ultima vocale.

– Eh, belín! E devochiederallaradioibigliettancheperté-e??

Le voci di certi romani si dicono *spezzate*, io le dico *spezzate*, perché troncano le parole ma a volte le allungano, anche, tirandosele fuori dalla bocca e lasciandole filare oltre le labbra. – A Marcooo! Che stai a dí? La macchina 'ndo' stà? – e allora è come un bastoncino di legno quando si spezza in due ma rimane uno spuntone attaccato a una estremità o un filo di corteccia.

Cantanti, spezzate, scivolanti, le voci della città escono dagli altoparlanti degli scanner e mi girano attorno, si impastano, si legano e mi scivolano addosso come l'ultimo gorgo d'acqua tra le dita, giú nel lavandino e in mezzo ci sono io, sulla mia sedia con le rotelle e giro su me stesso, tra le parole, sempre piú veloce, sempre piú veloce, sempre piú veloce.

L'ultimo foglio è un A4 a righe bianche e grigie, frastagliato sui bordi dai denti di un modulo a trazione continua. Prestampato in alto lo stemma della Repubblica Italiana.

Sotto, traforato dai punti serrati di una stampante ad aghi: INTERROGATORIO DELL'INDIZIATO LIBERO DEIANNA LORENZO (TRASCRIZIONE).

Di traverso, a mano, con la calligrafia di Vittorio: *BINGO!*

SOSTITUTO PROCURATORE MONTI: Uno, due, tre, prova... uno, due, tre, prova... funziona questo coso? Possiamo cominciare? Allora, nell'anno 1997, addí 17 marzo, davanti a noi Sostituto Procuratore della Repubblica di Bologna Patrizia Monti e all'ufficiale di polizia giudiziaria Commissario Capo Vittorio Poletto è presente Deianna Lorenzo, di anni 35, sottoposto a sommarie indagini per i reati di violenza sessuale su minore...

DEIANNA: Ehi, aspetti un momento! Avevamo detto che la violenza su minore non c'era piú!

MONTI: Per favore, signor Deianna... rispettiamo la procedura. Aspetti che finisca e poi discuteremo dei reati che ci sono o non ci sono. Allora, riprendo... violenza sessuale su minore, sfruttamento della prostituzione, atti osceni in luogo pubblico, sevizie su animali e vilipendio di oggetti sacri. L'avverto formalmente che ha la facoltà di non rispondere. Intende avvalersi di questa facoltà, signor Deianna?

DEIANNA: Io? No di certo. Sono qui apposta. Siamo d'accordo, no?

MONTI: D'accordo non è la parola giusta, signor Deianna. Diciamo che stiamo svolgendo gli atti preliminari per accogliere una sua eventuale richiesta di pentimento...

COMMISSARIO CAPO POLETTO: Mi scusi, dottoressa... non potremmo arrivare al dunque? Non ho molto tempo...

MONTI: Guardi, commissario, che qui c'è una procedura che dobbiamo assolutamente...

DEIANNA: Io quel tipo l'avrò incontrato sí e no tre volte. La prima, sarà stato nel settembre del '94, piú o meno. Diceva di essere interessato al satanismo ma si vedeva subito che non ne capiva niente. Era uno cosí, che girava le sette. *Testimoni di Geova, Sai Baba...*

POLETTO: Come ha detto di chiamarsi?

DEIANNA: Non mi ricordo. Un nome qualsiasi. Comunque torna un paio di mesi dopo e dice che vuole partecipare a una Messa Nera. Dice che ha una cosa da chiedere a Satana. Noi gli chiediamo mezzo milione, come da tariffa, e lui lascia un anticipo di cento per un rito di purificazione. Due notti dopo siamo ad Armarolo di Budrio, dove c'è una villa abbandonata, con altri cinque o sei iniziati che hanno sborsato per una Messa con vergine e rito sessuale, ma il tipo non si fa vedere. Signor giudice, io non lo sapevo che la ragazza era minorenne e poi giuro che non l'ho toccata!

MONTI: Signor Deianna, la ragazza sostiene decisamente di essere stata drogata e che lei...

POLETTO: Cosa voleva da Satana?

DEIANNA: Come dice?

POLETTO: Il tipo. Aveva qualcosa da chiedere a Satana. Cosa?

DEIANNA: Ah sí... be', sa che non l'ho mica capito? Era una cosa strana. *Voleva chiedergli di smettere di suonare le campane, per favore.*

Vittorio. A stampatello, in verticale lungo il bordo:

SAI BABA, TESTIMONI DI GEOVA...

E LE CAMPANE. VUOLE CHE SATANA SMETTA DI SUONARE LE CAMPANE.

Vittorio. Sul retro del foglio. Lettere inclinate e veloci ma piú piccole e fitte. Le righe che tendono a piegare verso il basso, curve, sbiadite dove il taglio della mano che scrive si è appoggiato troppo a lungo sulla pasta densa di un Matito Pentel a mina morbida. Ogni tanto, una parola cancellata.

Ecco da cosa fugge. Ecco cosa gli fa paura. Quello che sente, quello che cerca di coprire con le cuffie e che mormora quando è da solo, come chi ha una musichetta in testa che non vuole andare via, sono le CAMPANE.

Le CAMPANE DI SATANA.

E sai cosa sono le campane, ispettore Negro? Sai cos'è in psicoanalisi questa cavità vuota in cui si infila un batacchio, sai a cosa corrisponde il ritmo ondulatorio DON DON DON delle campane (sei diventata rossa, bambina, lo so)?

Sono le campane del peccato, sono la MORTE, *sono le campane dell'Inferno che ti aspettano quando muori.*

Il nostro Iguana non ci vuole andare all'Inferno e allora cerca di evitarlo, cerca di evitare l'appuntamento con le campane.

E sai come fa, bambina?

SI REINCARNA.

L'Iguana frequenta le sette, ma solo quelle che credono in qualche forma di REINCARNAZIONE. *Ed è proprio questo che fa dopo che ha ucciso la gente, si reincarna, in un modo tutto suo, più in fretta e senza aspettare un intero ciclo di vita. Si spoglia nudo e si disegna sul volto una maschera di cerchi, come i tatuaggi dei guerrieri Maori. Cambia pelle come un* IGUANA *delle Galapagos. Un selvaggio primitivo, un dinosauro, un drago, pronto a trasformarsi in uno stadio più evoluto (evoluto?)*

Vittime sempre più giovani, perché l'Iguana rifiuta la senescenza, rifiuta la maturità sessuale che gli fa paura, rifiuta la MORTE. *Vuole essere* IMMORTALE.

O forse, cerca soltanto di diventare grande in un altro modo.

E più sotto, schiacciato contro il bordo dentellato del foglio. A penna biro. Rossa.

Non è ridicolo, ispettore Negro?

Sappiamo tutto ma non ci serve a un cazzo.

Chi è, adesso?

Cosa sta facendo?

Che aspetto ha?

Per favore, campane, non suonate cosí forte proprio adesso che devo togliermi le cuffie.

Per favore, campane, per favore.

No?

E allora io alzo lo stereo che tengo sulla mensola e non me ne frega niente se le membrane delle casse mi scoppiano in faccia. Nine Inch Nails, *Mr Self Destruct*.

C'è un martello, un maglio d'acciaio che picchia forte, come se volesse sfondare qualcosa, prima piano, una botta dietro l'altra e poi sempre piú veloce. A ogni colpo risponde un gemito liquido, quasi fosse proprio qui a battere sulle mattonelle di questo pavimento coperto d'acqua. Poi la musica esplode in un grattare distorto, come se migliaia di unghie impazzite graffiassero il soffitto umido di condensa spezzando piatti sulle piastrelle lucide di questo bagno e dentro, tra i suoni che corrono in tutte le direzioni, una voce calma e sorridente che sussurra.

I am the voice inside your head, I am the lover in your bed, I am the sex that you provide, I am the hate you try to hide... and I control you. Sono la voce dentro la tua testa, sono l'amante nel tuo letto, sono il sesso che ti procuri, sono l'odio che cerchi di nascondere... e ti controllo.

Appoggio una mano sullo specchio appannato dal vapore e la muovo in cerchio finché non scavo un buco abbastanza pulito da potermi riflettere. Mi avvicino con la faccia prima che l'acqua calda che sta scorrendo nella vasca, nel lavandino e nella doccia lo copra di nuovo con un velo compatto e sottile. Le croste che ho sulla testa si sono rapprese e se le gratto con le unghie se ne vanno, lasciandomi la pelle soltanto un po' arrossata. Quelle che ho sul petto e sulle cosce sono ancora fresche e non le tocco. Quelle che ho tra le gambe fanno male. La lametta era vecchia e io non sono abituato a rasarmi a zero.

Nine Inch Nails, *Heresy*.

C'è ancora il martello che batte sull'acqua e quella voce che urla a bocca spalancata come se le parole le uscissero direttamente dalla gola. *Your God is dead and no one cares, if there is a hell I will see you there*. Il tuo Dio è morto e non frega a nessuno, se c'è un inferno ti vedrò là dentro.

Don don don... piano, campane, piano per favore.

Faccio scorrere la mano sul vetro che si è appannato di nuovo e mi avvicino ancora, girando la testa da una parte e dall'altra. Gli spilloni che mi sono piantato nei lobi delle orecchie, quelli che mi sono infilato all'angolo delle sopracciglia e dentro una narice mi fanno male, ma non molto. Non ho trovato altro in casa ma non potevo farmeli direttamente con gli anellini, i buchi, perché sono cerchietti sottili e non forano abbastanza. Ma adesso che ho già piantato gli spilloni va bene, cosí stringo tra due dita la pelle attorno a un sopracciglio, la sollevo e la tiro in fuori, ahi, poi sfilo uno spillone, ahi, separo le due estremità dell'anellino e ne

infilo una dentro il buco, spingendola dal basso,
ahi! e poi giro, attento a non sbattere le palpebre,
a non corrugare la fronte, anche se brucia, molto,
se no fa piú male ancora. Gocce rosse e rotonde
cadono nell'acqua calda del lavandino e si sfilac-
ciano, schiarendosi, prima di scivolare veloci fuori dal bordo di maiolica bianca. Faccio la stessa cosa con quell'altro sopracciglio, ahi, piú difficile,
perché è il sinistro e sono giú di mano. Sento male, sento male molto e sembra quasi che l'anellino
mi stia grattando l'osso, ma io spingo piú forte,
con il polso che mi trema per la tensione del dolore, SPINGO PIÚ FORTE e lui va dentro. Con le orecchie è piú facile e il naso praticamente non lo sento.

Acqua fredda sul fuoco che mi scorre denso sulla faccia. Volto le spalle allo specchio e appoggio
il sedere nudo al lavandino. Per l'ultimo buco non
ho bisogno di riflettermi. Lui è lí davanti e se abbasso gli occhi a guardarmi tra le gambe me lo vedo. Pulsa, gonfio e rosso, storto come un pesce in-
filzato su uno spiedo.

Nine Inch Nails, *I Do Not Want This*.

La voce grida da sotto, grida da sott'acqua, da
sotto la pelle, spalanca la bocca sotto una membrana di cellophane che le avvolge stretta la faccia
e grida. *Don't you tell me how I feel, you don't
know just how I feel...* non dirmi come mi sento, tu
proprio non lo sai come mi sento...

Lí fa male. FA MALE. FA MALE!

In ginocchio sul pavimento, piegato su me stesso, ansimo per il dolore che mi rimbalza dentro la
pancia. Prima, quando mi sono schiacciato la punta della sigaretta accesa sul fianco non mi ha fatto
cosí male. L'odore della pelle che bruciava, lo sfri-

golio della carne con il fuoco dentro mi hanno fatto stringere gli occhi, ma non ho sentito cosí male. L'acqua sulle piastrelle è gelata e mi fa rabbrividire la pelle delle gambe. Ce n'è almeno un dito, ma tengo lo stesso i rubinetti aperti perché cosí il vapore bollente riempie la stanza e mi scalda perché io, come sempre quando mi reincarno, sono nudo e ho freddo.

Don, don, don...

Dalla mensola del lavandino il trillo del cellulare scivola tra le campane e mi gratta sulla nuca come un'unghia sottile. Alzo una mano e lo prendo.

– Sí?

– Sono Paola. Sei tu, Vopo?

– Sí.

– Che voce strana... cos'è questo casino? Stai facendo la doccia con la radio accesa?

– Piú o meno.

– Ma cos'hai... sei fuori? Senti maraglio, noi ci vediamo questa sera al Teatro Alternativo. C'è Mauro che suona in una storia di jazz. Ci vieni?

– Sí, ci vengo.

– Davvero ci vieni? Ti ricordi?

– Sí. Questa sera. Teatro Alternativo. Okay.

Nine Inch Nails, *Reptile*.

Angels bleed from the tainted touch of my caress, need to contaminate to alleviate this loneliness... my desease, my infection, I am so impure... Gli Angeli sanguinano al tocco impuro della mia carezza, devo contaminarmi per alleviare questa solitudine... mia malattia, mia infezione, sono cosí corrotto...

Rimetto il telefono sulla mensola, faccio scorrere tutte e due le mani sullo specchio e resto a guardarmi finché il vapore non mi cancella piano piano. L'animale che ho dentro mi corre veloce

sotto la pelle. Mi gira attorno all'ombelico e mi fa
gonfiare la pancia che si tende e sporge in fuori,
poi sale su e mi scorre nella gola e sotto la pelle della faccia che si alza sugli zigomi e si arrotonda li-
vida sotto gli occhi. Mi preme nella bocca, contro
le labbra che sporgono arricciate e penso che se le
aprissi forse lo vedrei, l'animale che ho dentro, lo
vedrei riflesso nello specchio, ma ho paura e non
lo faccio. Allora lo inghiotto, con un colpo secco,
giú nella gola e aspiro aria umida di acqua e calda
di vapore.

Devo guardare la foto sulla carta d'identità che
ho incastrato nella cornice dello specchio, anche
se è piccola e non si vede bene, perché l'altro è lí
che galleggia nella vasca che strabocca, con le gambe e le braccia ormai oltre il bordo, ma non ha piú
la faccia. Ma la testa calva, le borse sotto gli occhi
e le labbra carnose sono tutte sulla carta d'identità e dove aveva gli anelli che gli ho strappato,
quello un po' me lo ricordo. Il petto e le gambe
senza peli, invece, si vedono ancora bene e anche
quella cicatrice rotonda che ha sul fianco.

Faccio in tempo a darmi un'altra occhiata allo
specchio prima che il vapore lo appanni del tutto.

Siamo uguali.

Ma le campane, *don, don, don*... quelle le sento
ancora.

Ad ascoltarla da fuori, ancora a metà scala, la mansarda di Simone sembrava la piazza di un paese in un giorno di mercato. Le voci, i suoni e i rumori si accavallavano indistinti, si coprivano, si impastavano ronzando dietro la porta chiusa, ma piano, come sottovoce, tanto che Grazia pensò per un momento che si sarebbe affacciata su una strada, ma una strada invisibile in cui tutti, persone, auto, motorini, musiche di sottofondo e sirene stessero sussurrando a bassa voce. Invece era soltanto una stanza, la mansarda di Simone, un rettangolo allungato, con le travi spioventi su un divano e tre piccole finestre aperte sul tetto. Chet Baker sul piatto, pianissimo, quasi un soffio, *Almost Blue*. Simone, i gomiti appoggiati al tavolo e il mento tra le mani, seduto quasi sul bordo della poltroncina girevole. E otto scanner, tutti accesi, tutti in azione, tutti regolati a meno di un terzo del volume.

Quando Grazia entrò Simone stava canticchiando tra sé, a bocca chiusa. Ma non *Almost Blue*.

Summertime.

– Che c'è... sei felice?

– No.

Simone si staccò dal tavolo e appoggiò le mani

sui braccioli, irrigidito contro lo schienale. Puntò
i piedi a terra e cominciò a dondolarsi, da una parte e dall'altra, lentamente ma con insistenza. Grazia sorrise, accorgendosi che era arrossito.

– Allora no, – disse. – Neanch'io. Ho corso come una scema per tutta Bologna, senza conclude-
re niente. Sono stanca. Ti dispiace se resto un po'
qui a vedere cosa combini? Non voglio dire che sei
la nostra unica speranza, però...

Simone si strinse nelle spalle e si piegò in avanti, avvicinando il volto agli scanner sparsi sul ta
volo, quasi volesse infilare la testa in quel grovi-
glio di fili e di voci. Grazia si sedette sul divano,
si tolse il bomber e si abbandonò contro un cuscino dello schienale, con un sospiro veloce. Restò a guardarlo, Simone, i capelli castani tirati indietro senza una piega precisa, giusto per scoprire la fronte, le labbra strette in una smorfia
diffidente e quell'occhio socchiuso, con le palpebre appena scostate, che dava al suo volto un taglio asimmetrico, quasi storto. Restò a guardarlo
mentre faceva scorrere le dita sui pulsanti degli
scanner, cambiando sintonia con un colpo rapido
del polpastrello.

Siena Monza 51 ci rechiamo sul pos...

Francesca! Dove cazzo sei? È un'ora che ti as...

*Mephisto? Sono Santana, esco ora dal casello di
Mod...*

*Aspetta che passa una macchina... sono qui a Forlí
ma non trovo la stra...*

*No, non mi disturbi... sono in treno, vado a Imo-
la a vede...*

– Come fai a seguirli tutti?

– Non li seguo. Li ascolto e basta. Cerco la voce.

– Sei sicuro di ricordartela bene?

– Sí.

– Scusa. Non volevo dire... però, senti, non ti offendere, solo per curiosità mia: com'era quella voce?

– Verde.

– Verde?

– Fredda, finta, stretta... come se dovesse trattenerla per non farsela scappare dalla lingua. Come se ci fosse qualcos'altro che si muoveva sotto.

– E perché verde?

– Perché c'è la *erre*. Perché è una parola raschiante e le cose che raschiano non mi piacciono. Quella era una brutta voce. Una voce verde.

– Ah. E la mia di che colore è?

Simone strinse le labbra e spinse la testa ancora piú in avanti. Ma prima di tuffarsi di nuovo tra i fili e le voci disse: – Blu – rapido e cosí piano che Grazia sicuramente non sentí.

Telecom Italia Mobile. L'utente non è al momento raggiungibile.

Omnitel. Stiamo trasferendo la vostra chiamata. Attendere pre...

Telecom Italia Mobile. L'utente deve avere il telefono staccato. Riagganciate e provate piú ta...

– Ti dispiace se mi tolgo le scarpe? Non credo che cambi molto la situazione odori perché ho fatto la doccia questa mattina ma è tutto il giorno che corro, per cui...

Grazia sollevò il collo della maglietta tirandolo con due dita e ci infilò sotto il naso, stringendosi nelle spalle. Si toccò rapida tra le gambe, sulla stoffa ruvida dei jeans, chiedendosi per un momento se quella mattina si fosse messa l'assorbente, dato che ormai erano proprio gli ultimi giorni, poi si strappò dal cuscino con uno scatto e si chinò a slacciarsi le scarpe da ginnastica.

Dalle casse dello stereo, la voce di Chet Baker.

Dagli scanner, il fischio modulato e acutissimo di un fax in trasmissione. Il ronzio ruvido e increspato di un cellulare con la batteria scarica. Le note sintetiche del *Bolero* di Ravel di una segreteria telefonica.

Dalle casse dello stereo, la tromba di Chet Baker.

– Cosa c'è? – chiese Grazia, allarmata. Simone aveva alzato la testa e girava il volto sul collo rigido, come se cercasse qualcosa. Si fermò appena la sentí parlare, l'orecchio sinistro puntato nella sua direzione.

– Niente, – disse. – Non ti sentivo piú.

– Sono qui, – disse Grazia, in piedi alle sue spalle. Allungò una mano e gli toccò un braccio, ma Simone si scostò, scivolando appena di lato sullo schienale della sedia. Ricominciò a dondolarsi sulla poltroncina, lento e nervoso. Grazia si avvicinò e appoggiò l'avambraccio al bordo dello schienale, fermandolo. Sollevò anche una gamba e si sedette sul bracciolo, la mano puntata contro lo spigolo del tavolo, a tenersi in equilibrio. Si accorse che Simone aveva inarcato le narici e fece per scostarsi, imbarazzata.

– Eh, lo so. Te l'ho detto che è tutto il giorno che corro...

– No, – disse lui in fretta e alzò una mano, bloccandola in aria un po' prima di toccarla. – Non mi dà fastidio. C'è un odore che non capisco. Sembra olio.

Grazia si portò istintivamente la mano dietro la schiena, sulla fondina agganciata alla cintura.

– È la pistola, – disse.

– Ah già.

Simone piegò il volto sulla spalla sinistra, verso Grazia, scivolando sullo schienale per abbassarsi verso di lei. Allargò le narici, appena.

– Gomma. Portavi scarpe da ginnastica.

– Sí, ma non mettermi in imbarazzo, per favore...

– Fumo.

– Sí, ma non sono io. È il bomber che assorbe tutto e te lo lascia addosso. Matera e Sarrina fumano tutti e due.

– Odore di pelle, forte e un po' amaro. Odore di stoffa calda, forse una maglietta di cotone. E qualcosa di acido e un po' dolce... ma poco, meno della prima volta che sei venuta qui.

– Senti, mi fai sentire una merda...

– E poi c'è *Summertime*.

– Cazzo, è vero!

Grazia cantò le prime note, *na na naan*, stonate e fuori tempo, ma erano quelle. Spinse la sedia con il piede puntato sul pavimento e fece ondeggiare Simone, che sorrideva anche lui, questa volta apertamente.

– *Muschio Bianco*. Praticamente l'ho preso solo per quello, perché mi piaceva la canzone. Minchia, Simò... sembri quel film, non so se l'hai...

Stava per dire *l'hai visto* ma si bloccò, stringendosi il labbro inferiore tra i denti. Simone, invece, alzò le spalle, scuotendo la testa, il sorriso ancora vivo sulle labbra.

– No, – disse, – non l'ho visto. Non sono un tipo che va molto al cinema.

Grazia sorrise e di nuovo guardò Simone, la sua espressione asimmetrica, l'occhio socchiuso che non la vedeva, non la spiava, sembrava non chiederle nulla e non chiedersi niente di lei. Quando era entrata nella mansarda e si era seduta sul divano, per un momento si era sentita sollevata, quasi tranquilla nonostante stesse dando la caccia a un fantasma in una città clandestina e aveva pensato che fosse soltanto per il sollievo fisico di sedersi a togliersi le scarpe dopo una giornata passata in piedi. Invece, guardando Simone, pensò che forse era per lui. Perché poteva stare in un posto con qualcuno senza che questo la fissasse, ironico o paterno, ma sempre per chiederle qualcosa, *e vestiti da donna, e resta con me a lavorare al bar, e prendilo bambina*. Con Simone no. Lui non guardava, lui non fissava, lui non chiedeva niente. Ascoltava e basta. La ascoltava parlare.

Allora addolcí la voce, istintivamente, cercò di farla piú gentile possibile, meno selvatica e sgarbata del solito.

– A parte il cinema, – disse, – di solito che fai, Simò?

– Sento lo scanner. Ascolto le voci della città.

– Va bene. E poi?

– Poi niente.

– Non esci mai? Andrai da qualche parte, no?

Simone smise di sorridere. Appoggiò le braccia al bordo del tavolo e tornò a tuffarsi tra i fili, le dita che scorrevano veloci sui pulsanti dello scanner come sulla tastiera di un pianoforte.

– No, – disse.

Sono d'accordo con le ragazze che ci vediamo al Paradiso verso le die...

La Lalla ci aspetta al ris...

Dammi una punta che ci ve...

Sono Paola, sei tu Vo...

Neanch'io, pensò Grazia. A parte una pizza ogni tanto o un film con una collega dell'Ufficio Stranieri che non è proprio come uscire davvero.

– Ma vedrai qualcuno, no? Che so, Simò... degli amici...

– No.

Senti maraglio, noi ci vediamo questa se...

Neanch'io, pensò Grazia. A parte Vittorio e i vecchi compagni di corso, che non è proprio come essere amici davvero.

– E una fidanzata, Simò? Ce l'hai una fidanzata?

– No.

Simone spinse la testa piú avanti, dentro le voci, dentro i ronzii. Poi girò il volto verso la spalla sinistra.

– E tu? – chiese, piano.

Grazia fece una smorfia, scuotendo la testa.

– Io? No, non adesso. Piú che altro penso al lavoro e... cosa c'è?

Simone si era sollevato sulla sedia cosí in fretta da farle scivolare la gamba giú dal bracciolo. Aveva girato la testa dall'altra parte, verso lo scanner di destra. Aveva allungato una mano e aveva stretto il braccio di Grazia, cosí forte da farle male.

Sí, ci vengo.

Davvero ci vieni? Ti ricordi?

Sí. Questa sera. Teatro Alternativo. Okay.

Ronzio. Il clic della comunicazione interrotta e il raschiare dell'etere vuoto. Simone fece scorrere le dita sui tasti degli scanner e li spense tutti, tutti quanti, tranne quello di destra.

Ronzio. Ronzio raggrinzito e verde.

Grazia si mosse, scivolando sui tubolari bianchi fino al letto dove aveva lasciato il bomber. Tirò fuori il cellulare dalla tasca e compose il numero, rapidissima, mentre cercava di infilare a forza una scarpa da ginnastica che si era rovesciata sul pavimento.

– Pronto, Matera? – disse, quasi urlando e poi a Simone, puntandogli contro un dito dall'unghia corta e rotonda: – Stasera facciamo uno strappo, Simò. Stasera usciamo. Tutti e due.

Sotto le suole delle scarpe sottili listelle in rilievo, morbide e aderenti, sopra una superficie dura e leggermente in salita: un tappeto di gomma sopra una rampa di cemento. Attorno, l'aria fresca e aperta della sera, che si fa piú calda e pesante sul mio volto appena la salita termina: la porta d'ingresso, spalancata davanti a me in cima alla rampa. Piú dentro, ancora attutito, coperto dai rumori del traffico alle mie spalle e da una voce (in basso a sinistra: «Ce l'hai la tessera Arci? Sono diecimila»), il soffio lontano di un sax: il Teatro Alternativo di via Irnerio.

Faccio strisciare il piede sul piano che è tornato ruvido di cemento e con la punta della scarpa incontro l'ostacolo di un gradino. C'è sempre un gradino sulla soglia di una porta cosí, ma Grazia non se ne accorge e ci inciampa. Mi si attacca al braccio per non cadere e mormora: – Scusa – e poi: – Vieni, là c'è Matera.

Dentro c'è odore di fumo, fumo secco e fumo dolce. Odore di caldo, di cemento polveroso, di intonaco umido e acido di vernice. Odore di carta. Faccio scivolare la punta delle dita lungo la parete e sento sotto i polpastrelli la superficie liscia e morbida di carta incollata al muro. Odore di vino. Odore amaro di birra. Un odore selvatico, in-

tenso e sporco quasi sotto di me. Tiro il braccio di
Grazia, che mi sta guidando.

– Che c'è? Merda... stavo per pestare un cane
che dorme. È cosí buio qui dentro che mi sa che ti
muovi meglio tu.

Sbatto col fianco contro qualcosa di duro. Ci appoggio la mano sopra e sento una superficie liscia
e bagnata, dallo spigolo arrotondato. Faccio scorrere le dita sullo spigolo che si allunga oltre lo spazio del mio braccio. Odore di vino. Odore amaro
di birra. È il bancone di un bar.

– Buonasera, signor Martini –. La voce roca di
Respiro mi soffia sulla faccia un odore dolciastro
di tabacco vecchio. Una mano mi stringe una spalla, poi la voce si sposta in un'altra direzione. Sussurra sempre, ma la sento.

– Niente rinforzi, ispettore.

– Cristo, Matera!

– Lei lo sa dove siamo qui? Lo sa perché lo chiamano il Teatro Alternativo, questo? Perché è un
circolo occupato, una cosa gestita dagli Autonomi.
Il questore dice che non ce li manda i poliziotti,
qui, perché appena li vedono scoppia un casino.

– Checcazzo, Matera! Qui c'è l'Iguana!

– Il questore dice che intanto bisogna vedere se
esiste davvero questo Iguana. E comunque, niente rinforzi. Siamo io, lei e Sarrina, che sta già in
sala, subito dietro la tenda.

Grazia mi stringe il braccio, mi appoggia quasi
le labbra all'orecchio e io piego il collo per i brividi, mentre lei mi parla e mi spinge decisa verso un
odore ruvido e spesso di tela che copre una tromba sempre piú vicina.

– Non aver paura, – sussurra, – adesso noi cerchiamo un tipo con le cuffie, poi ti ci porto vicino

e Sarrina lo fa parlare. Se lo riconosci, se è il nostro uomo dalla voce verde, io e Matera lo prendiamo e lo portiamo via. Stai tranquillo. Non c'è nessun pericolo. Non si accorge neanche di te. Basta che troviamo quello con le cuffie e poi... oh, merda!

Grazia lasciò ricadere il braccio sul fianco e la tenda che separava la sala del teatro dal bar le scivolò su una guancia, in una carezza ruvida e brusca. Sbatté le palpebre cercando di abituarsi al buio piú in fretta possibile ma già li aveva visti. Almeno tre, sotto la lucina blu di un'uscita di sicurezza, alla sua destra. Uno appoggiato al muro alla sua sinistra, illuminato appena dalla luce che filtrava dalla porta socchiusa del bagno e due ragazze davanti al banco del mixer, al limite del riflesso rossastro della lampadina di servizio. E anche dietro, al bar, le spalle appoggiate ai manifesti incollati alla parete e il mozzicone tozzo di una canna tra le dita e un altro in ginocchio sotto un graffito a spray dipinto sul muro, chino ad accarezzare il cane. Tutti con le cuffie, attorno al collo o in mano, sottili cuffiette dagli auricolari rotondi e un lungo filo contorto, che ciondolava libero o spariva in tasca.

– Siamo sfigati forte, ispettore, – disse Sarrina.
– Al cineforum qui dietro c'è una rassegna in lingua con la traduzione simultanea. Ma siccome il film di stasera fa schifo, parecchi si sono rotti le palle e sono venuti qui. Senza prima restituire le cuffie.

Il Teatro Alternativo a Bologna è un piccolo anfiteatro di gradini di cemento che scende a semicerchio verso un palco di legno. A parte il palco, illuminato dai riflettori, e a parte qualche chiazza di luce tra i piloni che separano un breve corridoio rialzato, il teatro è sempre immerso in un buio quasi totale, che fa percepire appena sagome nere, spazi e movimenti. Anche cosí, anche in quell'oscurità densa e compatta, che piú di tanto non si schiarisce neppure quando ci si abituano gli occhi, anche cosí si capisce che è sempre pieno di gente, come tutti i posti, la sera, a Bologna.

Sono bravi. La tromba è calda e piena e lancia note rotonde come bolle solide che mi scoppiano addosso. Il contrabbasso mi vibra dentro, accordo per accordo, e c'è anche un piano che mi scivola dietro, leggero, come se volesse allontanarsi di nascosto. La batteria è un tintinnare serrato di piatti, cosí serrato che mi sembra di potermi chinare in avanti e appoggiarci i gomiti come sul davanzale di una finestra. Il sax che ho sentito prima è scomparso in un silenzio ostinato.
Be-bop. Un brano veloce, che non conosco.
Mi piace.
Sto per dirlo a Grazia ma la sento rigida al mio fianco. Ha un sospiro umido che sembra quasi un singhiozzo, poi mi stringe il braccio, spingendomi in avanti.
– Vabbè, vaffanculo... – dice, – lo troviamo lo stesso.

– Scusa, hai una sigaretta?
– No, guarda, mi dispiace, è l'ultima.
– Scusa... sai chi sono questi qui?
– Marco Tamburini e un gruppo nuovo. Conosco solo il sax, Mauro Manzoni.
– Scusa... sai che film c'era di là?

– Un superclassico... l'edizione restaurata di *Ugetsu Monogatari*, di Mizoguchi...

– Scusa... sai dov'è il gabinetto?

– Là.

– Là dove, scusa?

– Non lo vedi? C'è scritto sulla porta... là.

– Scusa... sei il fratello di Mirko, te?

– Io? No... perché, ci conosciamo? Come ti chiami? Ehi, aspetta un po'... come ti chiami?

– Scusa... sai che ore sono?

– Boh? E chi lo vede, con 'sto buio...

Agganciato all'orlo del bomber, seguo Grazia tra la gente. Ogni tanto lei si ferma e chiede qualcosa a qualcuno.

Io ascolto.

Voce gialla, acuta, liquida e impastata, con le sillabe che si allungano, legate una all'altra.

Voce rossa, grossa e piena. Bassa e grassa. Spessa.

Voce azzurra, dalle *zeta* che si sgranano e si sciolgono, ronzando sbiadite, fino quasi a diventare *esse*.

Voce arancione, aspra come limone, aspra come un'arancia quando tira le ghiandole e brucia, dura, dietro le mascelle.

Voce viola, velata e fastidiosa, insistente come un po' di febbre, poca, che vibra nelle ossa e non se ne va.

Voce rosa, sottile e sibilante, che striscia un po' sul fondo della gola e scivola piano fuori dalla bocca, come se colasse, lenta, tra le labbra.

Io ascolto.

Se non riconosco la voce tiro una volta il bomber verso il basso e andiamo avanti. Se non ho capito bene ne tiro due e Grazia gli fa un'altra domanda. Se è lui, ne tiro tre, rapide e decise.

Voci rosse, azzurre e rosa.

Voci arancioni, grigie e marroni.

Voci gialle.

Voci viola.

Voci verdi, anche.

Ma quella voce no.

– Vuoi?

Grazia allungò la bottiglia davanti al volto di Simone, che corrugò la fronte in una smorfia perplessa.

– Scusa. È birra. Ne vuoi un po'?

– No, grazie.

– Potrebbe non essere ancora arrivato. Potrebbe non arrivare. Potrebbe essere stato in bagno quando eravamo nel corridoio, nel corridoio quando eravamo al bar, nel bar quando eravamo in bagno... potrebbe essere giú nell'anfiteatro, muto come un pesce. Ma se c'è io lo trovo. Appena finisce e si accendono le luci, io lo trovo e lo prendo.

Erano seduti su un bordino di cemento che correva lungo il muro. Erano accucciati, piú che seduti, in equilibrio tra le gambe tese, puntate sul pavimento, e la schiena dritta e schiacciata contro il muro e per Simone, piú incerto, anche le mani agganciate al bordino. Erano scomodi, giusto non in piedi, giusto quello, ma scomodi. Però da lí potevano controllare chi entrava e chi usciva dal teatro e chi entrava e usciva dal teatro doveva quasi strisciargli contro le gambe e se aveva una cuffia, un walkman, anche solo un berretto calcato sulle orecchie, Grazia gli chiedeva una sigaretta, sempre una sigaretta, perché ormai non sapeva piú cosa inventare e Simone ascoltava. Poi le spegneva subito contro il muro, le sigarette e le lasciava cadere tra le gambe tese, perché non fumava neanche, Grazia. Appena si era seduta contro il muro e aveva aiutato Simone a scivolare fino al bordino era arrivato Sarrina a chiederle se voleva una birra. Ma poi gliela aveva portata tenendola dietro la schiena, passandogliela rapido, di nascosto e chinandosi appena per sussurrarle: – Ci hanno sgamato. C'è un autonomo di quelli arrestati per l'assalto alla libreria Feltrinelli che ha riconosciuto me e Matera. Stiamo fuori, a disposizione, se no qui va a puttane tutto quanto.

– Sicuro che non la vuoi?

– No, grazie. Davvero.

Grazia appoggiò le labbra sull'orlo della bottiglia e piegò indietro la testa. Bevve una sorsata lunga e schiumosa che le inumidí gli angoli della bocca e finí per brillare sul dorso della mano che si passò rapida sulle labbra. Chiuse gli occhi, appoggiò la guancia sul palmo aperto e puntò il gomito sul ginocchio, con un sospiro. Si sentiva stanca. Sudata e stanca. Avrebbe voluto togliersi il bomber, sfilarsi i jeans, lanciare via le scarpe e buttarsi sotto una doccia. Avrebbe voluto infilarsi sotto un getto di acqua fresca, piegare il collo di lato e farsela scorrere dentro la testa, attraverso le orecchie. Avrebbe voluto andare in vacanza. Tornarsene a Lecce dai suoi e fare il bagno in mare. Andarsene in spiaggia, lasciare Simone sotto l'ombra del capanno e saltare fino al mare su quella sabbia bianca, che scotta sotto i piedi.

Simone. Di solito quando pensava a quello, quando pensava alla sua spiaggia, si vedeva Vittorio steso al sole accanto a lei, allungato sulla sabbia, la nuca appoggiata alle mani intrecciate. Lo aveva invitato tutte le volte che era scesa a casa ma lui non aveva mai avuto tempo e cosí poteva immaginarlo soltanto, lei che si copriva i piedi con la sabbia, che si girava a guardarlo e lui che sollevava la testa e sorrideva. In quel momento, invece, al posto di Vittorio si era vista Simone e per un attimo un sottile senso di colpa ne aveva appannato l'immagine. Simone, Vittorio... perché Vittorio? Perché sempre lui? Non c'era Vittorio, lí, in quel momento, non c'era mai, lui. Una punta di rabbia le fece serrare piú forte le palpebre. Simone. Simone sulla spiaggia accanto a lei.

Respirò a fondo, ma invece dell'odore salato del mare sentí quello dolce e pungente di una canna. Aprí gli occhi di scatto, fissando il buio in cerca di un iguana con la voce verde e le cuffie sulle orecchie. Bevve un altro sorso di birra che le scese frizzando lungo il mento rotondo. Poi appoggiò la nuca al muro freddo e chiuse di nuovo gli occhi.

Improvvisamente la sento.

Non me l'aspettavo ma la sento, annunciata da un raschiare sottile che vibra viola nell'aria in un momento strano di silenzio.

Almost Blue.

È il sax che la inizia. Un assolo che arriva dal nulla, quando ormai mi ero dimenticato che ci fosse, lento e discreto come un sussurro. Subito dopo ecco la tromba, lenta anche lei e discreta, soffiata dentro il sax che ci si avvolge attorno come la carta in un regalo, un regalo blu, denso e rotondo come una palla di gomma da tenere in mano.

Almost blue, there's a girl here and she's almost

you... quasi triste, c'è una ragazza qui che quasi sei tu...

Almost blue, almost flirting with this disaster... quasi triste, quasi giocando con questo disastro...

Almost blue, there's a part of me that's only true... quasi triste, c'è una parte di me che è soltanto vera...

Non l'avevo mai sentita dal vivo. Non l'avevo mai sentita suonata da musicisti veri, senza il velo frizzante delle casse e lo scricchiolio della puntina. Non l'avevo mai sentita cosí diversa, con le note che cambiano, bellissime e piene, una dietro l'altra ma senza sapere già come sarà quella che viene dopo. Non l'avevo mai sentita vibrarmi sulla pelle e dentro, cosí forte e cosí calda che non posso fare a meno di stringere le labbra fino a farmele tremare, mentre piego la faccia su una spalla per nascondere le lacrime che mi scendono lungo le guance.

Non avevo mai sentito suonare davvero, fuori dalla mansarda, ed è una cosa che mi piace tanto che mi fa paura.

– Tieni, – disse Grazia senza aprire gli occhi, sentendo le dita di Simone che scivolavano sul vetro della bottiglia e le scendevano sul dorso della mano. Alzò il braccio, ma le dita di Simone rimasero lí, premute sulla pelle e allora Grazia sorrise e, sempre senza aprire gli occhi, passò la bottiglia nell'altra mano, girò il palmo, freddo e umido di birra, lo strinse attorno a quello di Simone e allargò le dita, intrecciandole alle sue.

Eccola.
La voce verde. Eccola.

Mi passa davanti mormorando quel suono, piano, tra le labbra, ma lo sento e so che è lei.

Don, don, don...

Stringo le dita di Grazia cosí forte che le strappo un gemito. Lei capisce subito e mi chiede solo:
– Dov'è? – veloce e dura.

– Davanti a me. Sta passando.

– Davanti a te dove? È pieno di gente qui... a
destra, a sinistra, dove?

– Non lo so, non parla piú... a sinistra, credo.

– Qual è? Quello basso? Quello alto? Quello
coi capelli gialli?

– Come faccio a saperlo? Non lo so qual è!

– Merda...

Grazia mi lascia la mano. Sento che si alza. Sento che si muove.

Poi non la sento piú.

C'erano tre persone con le cuffie davanti a Simone. Uno era un ragazzo basso e grassoccio, con
il ricevitore della traduzione simultanea in mano
e gli auricolari di gommapiuma appiccicati alla pelle, stretti a metà collo come se volessero strango-
larlo. L'altro era un ragazzo alto, con un eskimo
grigio e un ciuffo che gli scendeva sulla fronte,
schiacciato su un occhio da un passamontagna.
Aveva una kefiah rossa attorno al collo, sollevata
quasi fino al mento e il passamontagna gli copriva
le orecchie ma c'era un filo, un filo bianco che gli
scendeva su una spalla, visibile lungo il soprabito
fin dentro una tasca. Il terzo era un ragazzo dalla
testa rasata. Anche lui aveva le cuffie come gli altri e quando si fermò un momento per accendersi
una sigaretta Grazia gli vide brillare sul volto tre
anellini, due agli angoli degli occhi e uno sul naso.

«Merda», pensò Grazia, «merda», ripeté a fior di labbra, poi aprí il bomber, sfilò la pistola da dietro la schiena, la tenne giú lungo la coscia, nascosta dietro la gamba e si mosse in fretta, perché stavano uscendo.

– Scusa... posso farti una domanda?

Il ragazzo col passamontagna abbassò gli occhi sulla mano che Grazia gli aveva appoggiato sul petto e strinse le palpebre, affondando rapido il naso nella sciarpa.

– Perché? – disse. – Che cazzo vuoi?

– Ti faccio solo una domanda, solo una. Vieni fuori con me, per favore...

– Perché? Chi cazzo sei? Oh... che cazzo vuoi?

Lo aveva preso per un braccio, discreta ma decisa, le dita della mano sinistra premute sul gomito e anche un sorriso che doveva essere tranquillo e cortese, forse accattivante, ma lui si era fatto indietro, divincolandosi.

– Ma chi ti conosce? Che cazzo vuoi? Fammi passare...

– Solo un momento, okay? Tranquillo... perché ti nascondi? Fatti vedere in faccia, fammi vedere le cuffie sotto il passamontagna... Matera! Sarrina!

Si voltò verso l'ingresso, la mano alzata a scostare la tenda e lui le vide la pistola.

– Ohé, che cazzo fai con la berta in mano? Chi cazzo sei, un pulotto?

Sento urlare.

Sento gente che si muove alla mia sinistra.

Mi alzo e chiamo – Grazia? – allargando le braccia per tastare attorno, ma Grazia non c'è.

Sento la voce di Respiro che dice: «Buono, kefiah... buono che ti fai male», sento la voce di Cento Lire che dice: «Calma, ragazzi, calma... non è successo niente!» e un'altra che urla: «Bastardo! Non mi toccare, bastardo!»

Sento altre voci: «Che vuoi? Lascialo stare?», «Quello è un poliziotto! Cazzo, quello è un poliziotto!», «Arrestano Germano! Questi stronzi arrestano Germano!»

C'è confusione. La musica si ferma. Non sento piú niente, niente tromba, niente sax, solo le voci di quelli che urlano, il fruscio veloce dei vestiti, lo scricchiolio rapido delle suole sul cemento.

Poi, la voce di Grazia.

– Merda! Non è una cuffia... è un apparecchio acustico!

Perché mi sta guardando, quello? Perché mi fissa?

Stava seduto assieme a una ragazza poi, all'improvviso, ha cominciato a guardarmi. A guardarmi dritto in faccia.

Chi è? Non riesco a vederlo bene perché è buio ma lo so che ce l'ha con me.

Mi guarda. Mi guarda strano. Con il mento alzato e la testa un po' piegata da una parte, come se non fissasse proprio me, ma verso me. Attraverso me. Dentro.

Continua a guardarmi e allora io faccio un passo avanti per vederlo meglio e mi accorgo che ha gli occhi chiusi, ma anche cosí, con gli occhi chiusi continua a fissarmi e allora io so, so, so, che lui sa chi sono io, che riesce a vedere tutti i puntini luminosi che mi brillano sul volto, vede la pelle che mi si spacca sulla fronte e si ritira di colpo come una membrana di gomma e l'osso del naso che si allunga in fuori e mi deforma la faccia come un becco appuntito e vede anche le campane, le campane dell'Inferno che mi risuonano in testa.

Continua a guardarmi, continua a guardarmi dentro e vede anche quella cosa che mi striscia veloce sotto la pelle, che si alza e si abbassa sotto i vestiti, sale lungo il braccio, scivola sul petto e mi gonfia il collo e corre sulla lingua e preme contro le labbra, preme, preme, preme e allora io apro la bocca e glielo faccio vedere quell'animale che ho dentro, che gonfia il collo, anche lui, spalanca la bocca, anche lui, e fa sibilare la lingua verso quell'uomo che mi guarda, che continua a guardarmi dentro, con gli occhi chiusi.

Poi stringo le mani sulle labbra aperte e ingoio tutto con un colpo secco e spingo giú, giú con la gola, forte, cosí forte che mi fa male.

Scappo, lascio cadere la sigaretta che ho appena acceso, la schiaccio sotto la suola e scivolo tra la gente, verso un'uscita di sicurezza.

Ma prima lo guardo ancora, bene in faccia, quell'uomo dagli occhi chiusi che riesce a vedermi dentro.

Chi sei?

Chi sei tu?

Chi sei tu?

Parte terza

Hell's Bells

My lighting's flashing across the sky
You're only young but you gonna die.

Il mio fulmine lampeggia attraverso il cielo
sei solamente giovane ma devi morire.

AC/DC, Hell's Bells.

il Resto del Carlino

Abbonamenti (anzitutto) con **Stadio** L. 2.500 - **Magazine Onda TV** L. 2.700 - **Weekend** L. 2.500
PC&C L. 2.500 (le diverse iniziative possono essere cumulate con un solo giornale)

Bologna e Imola

SVOLTA NELLE INDAGINI SUGLI OMICIDI DEI RAGAZZI FUORI SEDE ISCRITTI ALL'UNIVERSITÀ

Un solo killer ha ucciso sei studenti

Le vittime furono trovate nude e massacrate. La polizia cerca un uomo indicato in codice come l'Iguana

Servizio di Marco Girella

BOLOGNA - La buona notizia è che la polizia indaga e avrebbe in mano elementi importanti per catturare il colpevole. La cattiva notizia è che a Bologna si aggira un serial killer – gli inquirenti nei loro rapporti lo chiamano l'Iguana – che avrebbe almeno sei omicidi alle spalle. Ci sono voluti mesi perché dal riserbo in cui sono avvolte le indagini filtrasse una terribile verità. Un uomo solo ha massacrato sei ragazzi e ha spogliato i loro cadaveri per compiere presumibilmente un osceno rituale.

L'Iguana ammazza senza pietà e si nasconde tra i mille appartamenti che ospitano gli studenti fuori sede. Resta difficile capire come mai gli inquirenti abbiano sottovalutato così a lungo i sei omicidi, attribuendoli in un primo tempo a persone diverse. Si parla di una squadra di Roma che avrebbe affiancato nelle indagini i poliziotti bolognesi. Di sicuro, la caccia all'Iguana era aperta una settimana fa, quando la Questura consegnò ai giornali un identikit, che riproponiamo qui a fianco, spacciandolo per il volto di un pericoloso rapinatore. Invece riproduce le fattezze di un mostro per ora inafferrabile: l'Iguana.

Servizi alle pagg. 2 e 3

la Repubblica

Fondatore Eugenio Scalfari   Direttore Ezio Mauro

Sei omicidi in cinque anni

Il killer degli studenti

Assurdo silenzio della città

Dal nostro inviato
PIETRO COLAPRICO

BOLOGNA - Sei studenti universitari sono stati ammazzati negli ultimi anni. E i loro parenti, gli amici, i compagni di studi, con uno stupefacente silenzio, giorno dopo giorno hanno protetto non l'indagine, non il dolore, ma proprio lui, l'Iguana, come la Squadra Omicidi ha ribattezzato chi, nelle ultime settimane, ha colpito, una, due, tre volte, penetrando nelle case dei ragazzi, lasciandoli poi nudi e senza vita.

Ancora oggi l'indagine ufficialmente non esiste. Il questore, per quanto assurdo possa apparire, «non conferma e non smentisce». Trapelano poche indiscrezioni, fanno emergere storie di sesso e droga, come se questi due elementi bastassero a spiegare la lunga strage degli universitari.

No, l'impressione è che Bologna stava nascondendo, in una bara di omertà, le giovani vittime di un serial killer.

Segue a pagina 19

Il Messaggero

SPED. ABB. POST. legge 549/95 art. 2 comma 20 b Roma

Dalle smentite a una pista inquietante

L'ombra di un Serial Killer per i giovani assassinati

di MARCO GUIDI

Finalmente qualcosa di nuovo e di razionale nelle indagini sui ragazzi trovati nudi e massacrati. Dopo una serie di smentite, cautele e reticenze francamente incomprensibili, pare che anche tra gli investigatori ci si sia decisi a seguire la pista che a tanti era parsa piú logica: quella del serial killer. Le modalità dei delitti, le coincidenze, le singolarità inducevano tutti a pensarlo. Tutti meno gli investigatori (e un giorno speriamo di scoprire il perché). Ieri, d'un tratto, in un modo che appare altrettanto misterioso quanto misterioso era l'ostinarsi a negare l'ipotesi di un maniaco omicida, il cambiamento di rotta. Pare addirittura che la nuova pista abbia ricevuto l'onore di un nome in codice: «operazione Iguana», qualsiasi cosa significhi.

Segue a pagina 19

l'Unità

*C'è unico serial killer dietro l'omicidio
di alcuni studenti universitari a Bologna*

Le sei vittime dell' «Iguana»

Tutti i corpi sono stati trovati nudi e ora si parla di un prezioso testimone

Tre omicidi, un solo assassino. C'è un'unica mano dietro l'uccisione, a Bologna, di sei studenti universitari eliminati uno dopo l'altro negli ultimi mesi. La mano dell' «Iguana», come gli inquirenti chiamano questo pericoloso maniaco che ha assunto tutte le caratteristiche del serial killer. Nulla trapela ufficialmente, per la verità, dallo strettissimo riserbo di polizia e magistrati, ma le indiscrezioni si susseguono ed è ormai certo che quelli che finora sono stati trattati come delitti singoli siano in realtà le tessere di un grande, macabro mosaico. A unire i tre episodi ci sarebbero diversi elementi: ad esempio l'ambiente comune, quello vario e un po' bohémien degli universitari fuori sede, e il fatto che le vittime siano state trovate completamente senza vestiti (particolare finora nascosto dagli investigatori). Ma soprattutto, a condurre all'Iguana, c'è un testimone: una persona che pare abbia visto ogni cosa e che la polizia tiene sotto costante protezione.

Stefania Vincentini

– Hai combinato un bel casino, bambina.

Grazia strinse le labbra e tirò su col naso, sentendo forte in gola il sapore aspro delle lacrime che cercava di trattenere. Guardava da un'altra parte, fissava le punte degli anfibi che faceva dondolare avanti e indietro, sfiorando il pavimento, e le fissava con gli occhi spalancati e le palpebre ferme, perché se li avesse chiusi anche solo per un momento o li avesse alzati su Vittorio, sarebbe scoppiata a piangere e non voleva. Cosí fissava le punte degli anfibi, seduta sul bordo del tavolo, accanto al terminale della Scientifica, e dondolava le gambe e deglutiva, ogni tanto, perché il velo che aveva davanti agli occhi non si facesse piú umido e spesso.

– Il questore è nero. Non è riuscito a convincere i giornalisti che non esiste nessun killer degli studenti e sa che gli andrà anche peggio con le mamme degli studenti. In questo momento è al telefono col ministro degli Interni che gli sta facendo un cazziatone gigante. A dire il vero, neanche io sono molto contento, bambina.

Le dita di Vittorio si muovevano rapide nella ventiquattrore aperta. Stava in piedi, la valigetta appoggiata al davanzale di pietra di una delle finestre, e faceva scorrere i polpastrelli sul margine superiore di una fila di dischetti.

– D'accordo, volevo che la cosa fosse pubbli-
cizzata, ma non in questo modo. Nell'ambito di
una strategia globale questa esposizione informa-
tiva è esuberante e prematura. Adesso Alvau si ca-
gherà addosso e dovrà decidere in fretta se prose-
guire nelle indagini affrontando il panico della
città o mettersi alla caccia di singoli e piú sempli-
ci assassini.

Trovò il dischetto e lo sfilò dagli altri. Lo tenne per un angolo, battendoselo piano sulla punta
del naso, la fronte corrugata in un'espressione pen-
sosa.

– L'avevo quasi preso, – disse Grazia. Tirò su
col naso, deglutendo per asciugare la voce, gli occhi sempre fissi sulla punta degli anfibi. – C'ero
andata vicino.

Vittorio annuí. Infilò il dischetto nella tasca del
soprabito, poi allargò con due dita una delle tasche
nella fodera della valigetta e ne sfilò un pettine.
Se lo passò tra i capelli, guardandosi riflesso nel
vetro della finestra.

– Sí. Se l'Iguana era davvero in quel teatro sei
la persona che c'è andata piú vicino di tutti. Solo
che ti sei buttata sull'uomo sbagliato.

– Era il piú sospetto! Cristo, Vittorio, dovevi
vederlo! Sembrava lui!

Vittorio rimise a posto il pettine, poi si ravviò i
capelli sulle tempie con le dita. Si avvicinò al vetro, piegando la testa, e poi annuí, soddisfatto. Solo allora si voltò verso Grazia, le prese il mento tra
il pollice e l'indice e le fece sollevare il volto. Grazia strinse ancora di piú le labbra, contraendo le
guance.

– Senti, io lo so che sei brava. Il testimone che
hai trovato, le intuizioni sull'Iguana che cambia

pelle, l'idea degli scanner per intercettarlo... un
bel lavoro, bambina. Selvatica e cocciuta, proprio
come piace a me. Però lo so che per quanto brava
sei ancora un giovane ispettore e io ti ho lasciato
qui tutta sola, in mezzo a un'indagine piú grande
di te.

Grazia cercò di voltare la testa di lato, ma le dita di Vittorio la tenevano ferma. Sbatté le palpebre, rapidissima, e una lacrima, una sola, le scivolò
dall'angolo dell'occhio e le scese calda verso il lo-
bo dell'orecchio.

– Noi siamo un gruppo ancora giovane e piú che
altro consultivo, ma vorrei che diventassimo una
vera struttura operativa, con funzionari esperti e
compiti investigativi. Per fare questo ci serve un
successo, e l'Iguana poteva esserlo. Volevo che la
mia cocciuta e selvatica bambina mi portasse qualche prova solida con un'indagine discreta, che non
ci scoprisse troppo. Hai fatto un casino, ma è lo
stesso. Tranquilla, bambina, ora ci penso io a rimediare.

– Devo tornare a Roma?

Vittorio stava svanendo dietro un velo lucido,
ma anche cosí Grazia riuscí a vederlo mentre si
riavvicinava al vetro per aggiustarsi un ciuffo che
gli era sceso sulla fronte.

– No. Solo, non farti vedere in giro finché non
si sono calmate le acque. Non farti vedere dal questore. Se non l'hanno già riportato a casa c'è il tuo
cieco alla Mobile che sta finendo la deposizione.
Vedi se puoi ricavarci ancora qualcosa.

Le spinse indietro gli anfibi con la punta del ginocchio e la colpí sotto il mento con un buffetto
leggero. Disse: – Su con la vita, bambina, – poi
piegò il braccio per guardare l'orologio, mormorò:

– Cazzo, tra cinque minuti ho una intervista al Tg1, poi un'altra al giornale radio, e siamo solo all'inizio, – e uscí dalla stanza, ricordandosi all'ultimo di abbassare la testa sotto l'arco di pietra.

Grazia tirò ancora su col naso, le labbra serrate sul mento che tremava. Si mise le mani sugli occhi, una sull'altra, si piegò su se stessa e con la bocca schiacciata contro il petto si mise a piangere, cercando di gemere il piú piano possibile.

Ahi.

Un dolore improvviso, nel buio nero che mi circonda. Ho sbattuto con la gamba, qualcosa di duro e resistente che mi si è piantato nella coscia a metà passo, facendomi quasi perdere l'equilibrio.

Abbasso le mani e sotto i palmi sento la superficie fredda e liscia del parafango di un'auto. Ci faccio scivolare sopra le dita per sentire dove finisce il muso e ci giro attorno, zoppicando. Poi mi fermo, con la mano ancora appoggiata al metallo. Esito, smarrito.

Il cortile di casa, lo so, è piccolo e quadrato. Sotto i miei piedi scricchiola una striscia di ghiaia e piú avanti, dopo un paio di passi, devo sentire il contatto duro e fermo del marciapiede di cemento, appena prima dei gradini e del portone d'ingresso del palazzo. Ma questa macchina non me l'aspettavo.

E se ce n'è un'altra? Se c'è una bicicletta appoggiata al marciapiede? Se c'è qualcosa per terra?

Ascolto.

Solo il rumore del traffico in strada, alle mie spalle, oltre il cortiletto interno del condominio.

Annuso.

L'odore di banana marcia che viene dal casso-
netto alla mia sinistra.

Mi stacco dall'auto. Allungo una gamba e tasto
con la punta del piede la ghiaia che ho davanti.
Tendo le braccia e le allargo attorno a me, le dita
aperte a grattare l'aria. Faccio un passo, ma qualcosa che mi si muove davanti mi fa alzare le braccia davanti al volto, di scatto. Forse era una mo-
sca, perché non c'è piú nulla.

Faccio un altro passo.

Un altro passo.

Sento sotto la punta del piede il bordino rialzato del cemento e mi piego in avanti, le mani tese
a cercare il muro. Lo trovo e mi ci appoggio con
un sospiro. Scivolo in avanti, a piccoli passi, la
guancia che quasi striscia contro l'intonaco polveroso. Il taglio della mano rimbalza contro lo spigolo sporgente di un davanzale basso con un dolore che mi arriva fino al gomito.

– Vuole un aiuto?

Una voce di donna, alla mia destra. Una mano
che mi tocca la spalla e poi scende sul braccio,
stringendomi il polso. Un'altra che mi prende il
gomito, sorreggendomi esperta.

– Attento ai gradini. Stia tranquillo, si lasci guidare... sono abituata, sa? Anche mio figlio è cieco.

Mi lascio guidare.

Volevo provare ad attraversare il cortile a occhi chiusi, come ho visto che faceva l'uomo che
mi guarda dentro quando l'ho seguito fino a casa
l'altra sera. Adesso credo che dovrò tenerli chiusi ancora un po', nonostante il solletico che provo dietro le palpebre e la voglia irresistibile di
aprirli.

– Sono venuta giú per aspettare mio figlio che dovrebbe arrivare a momenti, – dice la donna, – ma intanto do una mano anche a lei. Mio figlio si chiama Simone. Lo conosce?

– Simone? – le dico, allungando una mano per sentire lo stipite del portone che lei sta tenendo aperto per me. – Sí, lo conosco. Lo conosco bene. Sono qui per lui.

– Simone Martini? Ah, quel cieco... è andato via un quarto d'ora fa. L'ha portato a casa Castagnoli che ha finito il turno.

L'agente la guardava, il gomito puntato sul bracciolo della poltroncina e un ginocchio sollevato contro il bordo della scrivania. Grazia tirò su col naso e si passò il dorso delle mani sulle guance, che sentiva ancora umide e appiccicose.

– Mi fai un favore? Mi chiami il Martini e gli dici che sto arrivando a casa sua?

– Comandi... appena si spegne la lucina rossa. Stanno occupando la linea dall'altro ufficio.

Grazia affondò le mani nelle tasche del bomber e si appoggiò a uno schedario. Abbassò lo sguardo su un punto qualunque del pavimento sentendosi addosso lo sguardo indiscreto dell'agente.

– Bel raffreddore, eh?

– Sí.

– Vuoi un fazzoletto di carta?

– No.

C'era la radio accesa. Una radiolina piccola sulla scrivania, con un'antenna corta, inclinata da una parte. Dall'altoparlante ovale una voce friggeva distorta e fastidiosa, spezzata da una scarica che fece sospirare l'agente. Ma appena si spinse in avanti sul tavolo e toccò l'antenna con le dita, la voce

nell'altoparlante si schiarí, sempre opaca e un po'
distorta, ma netta.

– *Lo chiediamo al dottor Poletto, dirigente
dell'unità che si occupa espressamente della caccia ai
serial killer...*

– Ecco un altro cazzone, – disse l'agente. Aprí
le dita e di nuovo un fruscio intenso e spesso
riempí l'altoparlante, coprendo la voce di Vittorio. L'agente toccò di nuovo l'antenna, disse:
– Mica posso stare tutto il giorno cosí, – poi allargò le dita, piano piano, e il fruscio tornò, ma piú
leggero.

– *Stiamo indagando a trecentosessanta gradi, senza trascurare nessuna ipotesi. La mia personale opi-
nione è che l'Iguana esista, qui, adesso. E che lo pren-
deremo.*

– *Ma il fermo del giovane autonomo? Non sarà un
altro caso Carlotto? Cercare subito un colpevole idea-
le, soprattutto se ha precedenti politici?*

– *La ringrazio di avermi fatto questa domanda. Il
caso Carlotto qui non c'entra niente e per quanto ne
so l'autonomo è già stato rilasciato. Si è trattato solo dell'errore di un giovane ispettore un po' troppo
impulsivo...*

– Sí, bravo! – L'agente staccò la cornetta perché la lucina rossa che brillava a intermittenza
sull'apparecchio si era appena spenta. – È sempre
cosí... mandano avanti qualche sfigato di sottoposto, cosí lui si prende la colpa e loro non si sput-
tanano. Com'è il numero?

Grazia glielo disse, poi cominciò a mordersi l'interno di una guancia, lo sguardo sempre basso sul
pavimento. Cercava di non ascoltare la voce di Vittorio, arrochita dallo sfrigolio, confusa con quella
piú forte dell'agente che parlava al telefono.

– *Se il magistrato lo riterrà opportuno sono pronto ad assumermi la responsabilità delle indagini... ma non mi faccia dire cose che non sono di mia competenza...*

– Casa Martini? Squadra Mobile. L'ispettore Negro voleva avvertirla che verrà da voi a parlare con...

– *Sí, per ora siamo un ufficio con compiti consultivi ma sono convinto che sia necessario...*

– Be'... direi che è partito da una ventina di minuti, ma a quest'ora ci sarà un po' di traffico sui viali. Comunque, tra poco arriva anche l'ispettore, nel caso lo aspetta.

– *Perché l'Iguana? È stata una mia intuizione. Sa, ho pensato che...*

– Di niente. Buongiorno a lei.

Grazia sbatté le palpebre, le braccia strette sul seno, le labbra strette, anche i denti stretti. Le sopracciglia ancora umide le davano un senso di fastidio. *Tranquilla, bambina. Ora ci penso io a rimediare.*

– Il tuo cieco non è ancora arrivato, – disse l'agente. – A casa si preoccupano perché tarda... e ci credo, imbranato com'è. Comunque ho detto al tipo di stare tranquillo perché... Oh, che cazzo...

Grazia si era girata di scatto e si era lanciata verso la scrivania cosí violentemente che l'agente si era fatto indietro contro lo schienale della poltroncina, una mano alzata davanti al volto, come per difendersi da un pugno. La voce di Vittorio sparí in un fruscio piú intenso e violento, definitivo.

– Hai detto al *tipo*? Quale tipo?

– Che cazzo ne so...

– Chi era al telefono?

– Che cazzo ne so? Un uomo, un ragazzo. Minchia, ispettore... uno che era lí.

Odore dolce di limone e acido di solvente. La pelle del sedile di dietro è morbida e si attacca appena al palmo delle mani quando ce le faccio scorrere sopra. Il sovrintendente Castagnoli deve aver fatto lavare la macchina da poco.

Attorno a me, il rumore ringhiante e monotono del motore, che sale quando scattiamo in avanti ma subito dopo si abbassa. No, non mi piace andare in macchina. È come muoversi stando fermi. Non mi piace.

– Non ce l'ha la radio? – chiedo, poi scuoto la testa perché ho sentito lo scatto del pulsante di avvio prima ancora che il fruscio verdastro del radiogiornale mi sommergesse da dietro.

– *Ringraziamo il dottor Poletto, dirigente dell'Unità di Analisi dei Crimini Seriali...*

– No, dicevo la ricetrasmittente. Non c'è su questa macchina?

– No, non c'è. Non è un'auto di servizio... è la mia. Ho finito il turno e visto che siamo di strada... Però ho il CB... sono un radioamatore. Fa lo stesso?

Peccato. Mi sarebbe piaciuto sentire la radio della polizia senza lo scanner. Direttamente dalla macchina, anche lei dal vivo, come la musica. Magari rispondere a qualche chiamata mentre da qualche parte, nell'etere, qualcuno ci ascolta...

– Minchia che coda, – mormora il sovrintendente Castagnoli, passandomi il microfono del CB. – Alè... è rosso di nuovo.

Grazia si chinò in avanti e sfilò da sotto il sedile il lampeggiante azzurro. Lo tenne sulle ginocchia mentre col dito di una mano abbassava il cristallo del finestrino e con l'altra infilava lo spinotto della batteria nel foro dell'accendisigari. Fece scattare l'elettrocalamita del lampeggiante sulla lamiera del tettuccio un attimo prima che lo strattone dell'auto che partiva la facesse rimbalzare contro il sedile.

Matera inchiodò all'uscita del parcheggio di piazza Roosevelt, fece salire il contachilometri fino a centodieci nei cinquecento metri di via della Zecca e inchiodò di nuovo prima di scalare e svoltare sgommando in via Ugo Bassi, seguito dall'urlo della sirena. Cambiava marcia di forza, con brevi scatti del braccio, mentre con l'altro sembrava volersi aggrappare al volante, la cintura di sicurezza tesa a reggere il suo corpo massiccio. Grazia, invece, non era ancora riuscita ad agganciarla e continuava a rimbalzare tra portiera, cruscotto e sedile, con la fibbia in mano. Puntò i piedi in avanti, schiacciando le spalle contro lo schienale, quando Matera inchiodò di nuovo dietro un autobus e sterzò a sinistra per superarlo, passandogli lungo la fiancata, vicinissimo. Gli tagliò la strada, voltando giú per via Marconi, mentre l'autista, un giovane calvo e con un pizzetto stretto sul mento, si attaccava al clacson modulando con le labbra strette una bestemmia muta.

Grazia strinse i denti, appallottolata sul sedile, con le ginocchia piegate e i piedi puntellati sul cruscotto, una mano in alto, agganciata alla maniglia sopra lo sportello e l'altra aggrappata al nastro della cintura di sicurezza. Si era dimenticata di quella sensazione esasperante di solletico che le bruciava sotto la pelle e dell'adrenalina che le mozzava il respiro. Come una volta, quando faceva servizio anche lei sulle volanti, fissava il parabrezza, il retro delle auto che scompariva all'improvviso quando Matera sterzava per superarle, i passanti che si bloccavano sulle strisce pedonali per farli passare, le biciclette che sfilavano rapidissime lungo i finestrini, fissava il parabrezza come una volta, senza riuscire a pensare a niente. Negli allarmi antirapina, nove volte su dieci, la radio dava il cessato allarme qualche secondo prima che arrivassero sul posto e il calo della tensione era cosí violento che la faceva sentire esausta. Anche in quel momento, in quella macchina col lampeggiante azzurro, avrebbe voluto sentire un cessato allarme. Una voce alla radio che dicesse *calma, non è niente, Simone è al sicuro, bambina, non ti preoccupare*.

– Merda! – ringhiò Grazia quando Matera fece stridere i freni dietro la doppia fila di auto che chiudeva la strada. – Lo sapevi che c'era casino sui viali!

Matera non disse nulla. Scalò la marcia e mentre il motore ruggiva isterico si infilò sulla corsia preferenziale e schiacciò a fondo il pedale dell'acceleratore.

La sirena si avvicina velocissima, da dietro. Ci passa accanto e ci supera con un urlo giallo che mi fa rabbrividire.

– Che cazzo corri! – dice Castagnoli facendo squillare il clacson due volte. – Tanto ci arrivi lo stesso!

All'inizio di via Costa le auto ferme al semaforo erano cosí serrate che per quanto Matera si attaccasse al clacson non riuscivano a fargli spazio per passare. Dall'altra parte della carreggiata c'era un camion che faceva manovra per girare, bloccando la strada, cosí Grazia si sganciò la cintura, fece passare sopra la testa il cavo attorcigliato del lampeggiante e si lanciò fuori.

Cominciò a correre, facendo risuonare le suole degli anfibi sul marciapiede, spingendo forte sulle punte per andare piú veloce, i pugni chiusi e i gomiti che scivolavano sui fianchi, avanti e indietro. Passava in mezzo alla gente che si voltava a guardarla e intanto contava i numeri sulle porte delle case, *11... 13... 15... 17*, ansimando tra le labbra socchiuse, *19... 21... 23*, piegata in avanti, la testa tra le spalle, *25... 27 segue numerazione*. Svoltò nell'androne che portava al cortiletto interno e per lo slancio sbatté con la spalla contro il muro di fronte, appoggiò una mano sul muso dell'auto parcheggiata, riuscí a rimanere in piedi e fece scricchiolare la ghiaia fino al portone. Lí si fermò un momento, piegata in avanti, le mani aperte sulle ginocchia, solo un momento, per riprendere fiato, poi si alzò di scatto, fece scendere la cerniera del bomber e tirò fuori la pistola.

Il portone sopra i due gradini era aperto. Grazia lo spalancò spingendo con le dita sulla listella di vetro smerigliato che aveva al centro e si infilò dentro, rapida.

Una scala saliva fino a un pianerottolo e poi piegava indietro verso un altro, scomparendo sopra la sua testa.

Grazia cominciò a salire, ansimando ancora per la corsa, la pistola dietro la coscia, nel caso uscisse qualcuno.

L'appartamento di Simone, al secondo piano. La

porta di legno chiaro, con la targhetta di ottone con inciso *Martini*, sopra il campanello. Socchiusa.

Grazia si passò una mano tra i capelli che il sudore le aveva appiccicato sulla fronte, tirandoli da parte. Gocce di sudore scendevano fastidiose e fredde lungo la schiena, incollandole la maglietta sulle spalle. Appoggiò una mano alla porta e spalancò anche quella.

Il corridoio dell'appartamento di Simone. In fondo, la porta sulla scala della mansarda. A destra la porta della cucina. A sinistra, piú vicina, quella del salotto. Tutte e tre socchiuse.

– Simone? – chiamò Grazia. – Signora Martini?

La porta della scala si mosse. Si spostò all'improvviso, veloce, e si chiuse con uno scatto della serratura.

Clang!

Grazia trasalí con un gemito trattenuto che era quasi un singhiozzo e alzò la pistola. Fece scivolare indietro il carrello per far salire il colpo in canna, poi si avvicinò alla porta, col cuore che non voleva smettere di batterle forte nel petto, appoggiò le dita sulla maniglia e l'aprí.

La scala che portava alla mansarda di Simone. Stretta, ripida, quasi verticale, col corrimano d'ottone che saliva lungo il muro. In cima ai gradini di legno, la porta della mansarda. Chiusa.

Grazia accese la luce perché era buio in quel punto della casa, ma la lampadina a metà del soffitto obliquo l'abbagliava e la spense subito. Sbatté le palpebre nella penombra e di nuovo chiamò:
– Simone! Signora Martini! –. Poi cominciò a salire.

In cima alle scale, dietro la porta, il frusciare

sommesso degli scanner accesi, fuori sintonia. In cima alle scale, sotto la fessura che correva tra il battente e il pavimento, un'ombra nera, immobile, al centro. In cima alle scale, sotto la porta, l'ombra nera si mosse, all'improvviso.

Grazia si morse un labbro, forte, fino a farselo sanguinare. Alzò la pistola, tenendola puntata sulla porta, a due mani, pollice su pollice, come aveva imparato alla Scuola.

– Ispettore Negro! – gridò, – Polizia di Stato! Chi c'è lí dentro? Sono armata e sto per entrare! Chi c'è lí dentro?

Se fosse stato Simone l'avrebbe già sentita da un pezzo e le avrebbe risposto. Se fosse stata la mamma di Simone, le avrebbe risposto. Quell'ombra non era la mamma di Simone. Quell'ombra non era Simone.

Era l'Iguana.

Castagnoli sorride, lo sento da come le labbra gli si tendono umide sui denti.

– Certo che possiamo sintonizzarci sulle frequenze della polizia. Non lo dica a nessuno, però... se no passo un guaio.

Sorrido anch'io e mi inumidisco le labbra con la lingua. L'idea che qualcuno possa sentirmi mentre parlo mi fa venire un brivido che mi taglia il respiro. Lo so che non dovrei e che forse il sovrintendente si arrabbierà per questo, ma non posso resistere. Cosí schiaccio il pulsante del microfono con tanta forza da farlo scricchiolare.

– Grazia? – dico, – Grazia, ci sei?

– Sí! – disse Grazia, – sí, ci sono!
La voce di Simone, dietro la porta, appena ve-

lata da un fruscio, la fece urlare di sollievo. Sospirò, con un soffio forte che le tirò fuori tutta
l'aria che si era tenuta stretta in gola, poi abbassò
le braccia, tolse il dito dal grilletto lasciando pen-
zolare la pistola lungo un fianco e aprí la porta, en-
trando di slancio.

– Cazzo, Simò! Che paura m'hai fatto!

Inciampò in qualcosa, sulla soglia, e cadde in
avanti senza riuscire a stringere le dita sulla maniglia, mentre la voce di Castagnoli che diceva «Eh
no, signor Martini, cosí no! Mi dia quel microfono!» usciva dallo scanner per troncarsi subito in
un ronzio piú spesso. Grazia finí a terra con un colpo secco che la fece gemere. La pistola le sfuggí di
mano e scivolò lenta sul pavimento vischioso della
mansarda, fino al muro schizzato, fino alle tende
macchiate di rosso che svolazzavano impazzite davanti alle finestre aperte, fino al piede nudo
dell'Iguana che si appoggiò sulla pistola, schiac-
ciandola sul pavimento con le dita agganciate a un-
cino. Grazia alzò la testa ma proprio in quel momento la corrente d'aria della porta spalancata spinse indietro una delle tende che si schiacciò
sull'Iguana, velandolo come un sudario di garza ros-
sastra. Soffocò un urlo a vederselo cosí, una larva
insanguinata senza volto e senza corpo, coperta da
quella membrana aderente che gli disegnava addosso curve e sporgenze, che si gonfiava sui rilievi
degli anelli e scavava i buchi degli occhi e del naso, che entrava, rossa, fin dentro la bocca spalancata. Bloccata dal terrore che la schiacciava sul pavimento, lo vide chinarsi verso la pistola, lo vide
spingere il volto contro la tenda e apparire in tra-
sparenza, come una maschera d'argilla screpolata
da miliardi di rughe sottilissime, una maschera cal-

va e nuda, lucida di acrilico e di schizzi coagulati. Le sembrò che si chinasse a prendere la pistola, perché a metà del gesto l'Iguana si fermò, fece guizzare la lingua contro la tenda e restò a guardarla per un momento con quello che, perso nel fruscio stonato degli scanner, sembrava quasi un soffio.

All'improvviso, la sirena dell'auto di Matera arrivò fortissima dal cortiletto, riempiendo la tromba della scala. L'Iguana si mosse, dietro la tenda. Si aggrappò alla cornice della finestra, appoggiò un ginocchio al davanzale e saltò fuori. Grazia lo avrebbe inseguito sul tetto, forse, si sarebbe affacciata alla finestra e gli avrebbe sparato da lí, forse, ma appena abbassò gli occhi per cercare di alzarsi da terra e vide su cosa aveva inciampato, cominciò a scalciare, alla cieca, senza piú controllo, mentre i brividi le salivano sulla schiena fino alle radici bagnate di sudore dei capelli.

– Mamma? – disse Simone dal fondo della scala. – Mamma?

Sento Respiro che mi passa accanto e mi urta con il braccio. Mi aggrappo al corrimano per non cadere e intanto chiamo: – Grazia? – perché ho paura.

I passi di Respiro schioccano sul legno della scala e rimbombano tra i muri, poi lo sento gridare: – Oh, Cristo Santo! – e allora ricomincio a salire, in fretta. Ma appena arrivo alla porta sento le mani di Grazia che mi fermano, mi tengono e mi spingono indietro mentre dice: – Non entrare! Non entrare!

Poi sento l'odore acido della lacca di mia madre, sento l'odore del sangue, tanto sangue, e comincio a urlare anch'io.

– Come sta?

– Non lo so. Non parla, non dice niente, risponde a monosillabi quando gli pare. Piange. Non mangia niente. Sta come sta uno che gli hanno ammazzato la madre e deve vivere nascosto sotto la protezione della polizia.

– Bambina, cambia tono. Non è stata né colpa mia né colpa tua... è successo e basta.

Ci sono strade nel centro di Bologna che, imboccate da una parte, finiscono in via Indipendenza, tra i motorini degli studenti delle medie fermi davanti ai McDonald, tra le biciclette della gente che attraversa per vedere le vetrine sotto i portici e gli autobus che suonano per passarci in mezzo. Imboccate dall'altra, invece, non portano a niente, ad altre vie, sempre piú piccole, che piegano ad angolo e poi si perdono.

Vittorio piegò il braccio e con uno scatto nervoso della mano si tirò indietro una ciocca di capelli che gli era scesa sulla fronte, accompagnandola con un cenno, veloce, del mento. Teneva gli occhi stretti in un reticolo sottile di rughe e nonostante l'abbronzatura sembrava pallido, quasi grigio, come chi non ha dormito da tanto. Grazia pensò che non l'aveva mai visto cosí, che da quando lo conosceva le era sempre apparso come se fosse appena tornato dalle vacanze, fresco e brillante. Impeccabile. Soprattutto infallibile.

In quel momento, però, le sembrava diverso. Quasi non fosse piú lo stesso uomo che l'aveva fatta ansimare di soggezione quando le aveva stretto la mano la prima volta e le aveva detto: – Benvenuta nello UACS, ispettore Negro, – facendola sentire come Jodie Foster ne *Il silenzio degli innocenti*. Lo stesso che le aveva bruciato le guance con un rossore incandescente, strappandole un incontrollabile sorriso compiaciuto, la prima volta che aveva fatto il suo nome in una riunione d'ufficio. Che l'aveva fatta rabbrividire dentro, con un solletico morbido, quando aveva cominciato a chiamarla *bambina*. Una volta aveva anche sognato di fare l'amore con lui ed era certa che se ne fosse accorto da come era arrossita appena l'aveva visto, la mattina dopo. Ma era stato una volta sola ed era stato in sogno. Adesso era diverso.

– Mi fai chiamare la pensione? Voglio dire a Sarrina che tra poco vado a dargli il cambio...

– Cos'ha il tuo cellulare?

– Mi sono dimenticata di cambiare la batteria.

Vittorio mise una mano nella tasca del soprabito e tirò fuori il cellulare, che porse a Grazia col braccio teso prima di attraversare la strada per avvicinarsi a un'edicola. Lei compose il numero della pensioncina di San Lazzaro in cui avevano nascosto Simone e si fece passare la camera. Disse solo: – Grazia – e: – Adesso vengo io, – poi chiuse la comunicazione e aspettò che Vittorio avesse finito di chiedere all'edicolante l'indicazione di una via.

Ci sono strade, nel centro di Bologna, che hanno un'anima nascosta e puoi vederla solo se qualcuno te la mostra. C'è una strada nel centro di Bologna che ha un buco sotto un portico, una finestrella quadrata che sembra scavata nel muro di una casa, coperta da uno sportello di legno incassato in una cornice di ferro. È il centro di Bologna, il centro di una città di terra, ma basta dare un colpo allo sportellino di legno, che questo si apre e mostra un fiume, un corso d'acqua con case a picco, rosicchiate dall'umidità, e barche, attaccate ai moli. Poco lontano, appena voltato l'angolo, lo si può anche sentire respirare, il fiume, quasi ruggire strangolato da una chiusa, dove un attimo prima, appena qualche passo indietro, si sentiva soltanto il rumore del traffico di via Indipendenza.

– Io non sono un poliziotto, – disse Vittorio. – Io sono uno psichiatra. So che i serial killer si prendono perché nascondono i cadaveri sotto il pavimento e poi puzzano, perché si fanno scappare le vittime o perché fanno un passo falso distrutti dal senso di colpa. Ma come si prendono, esattamente, non lo so. Ho fatto tanto per farmi affidare questa indagine e adesso che Alvau si è deciso, non so da che parte incominciare –. Sorrise, ma di un sorriso ironico e cattivo. – Vuoi che te lo dica, bambina? Questo Iguana... a me, piú che prenderlo, interessa capirlo.

– Io no. Io voglio prenderlo. E per favore, Vittorio... non chiamarmi piú bambina. Mi dà fastidio.

Vittorio si batté l'antenna del telefonino sulle labbra, stringendo gli occhi per fissare il sole che spariva oltre i portici della via. Non disse nulla e neppure Grazia, che stava pensando ad altro. Pensava a Simone. A quello che aveva provato per lui

quando lo aveva stretto tra le braccia, sulla porta
della mansarda. Al desiderio di coprirlo con la falda del bomber e tenercelo sotto, perché non po-
tesse toccarlo nessuno. A quella sensazione morbida che aveva sentito dentro, a cui non aveva dato ancora un nome e forse non voleva neppure
darglielo, perché a lei non interessava capirle le cose, ma prenderle. E sapeva solo che si sentiva triste quando Simone era triste e felice quando anche lui lo era. E adesso che non era lí, non vedeva
l'ora di raggiungerlo.

Vittorio schiacciò l'antenna del cellulare e infilò
il telefono in tasca. Guardò l'orologio e scosse la
testa.

– Sono in ritardo, – disse. – Vuoi un passaggio?

– Grazie, mi arrangio. Prima devo fare una cosa.

– Meglio per te. Ho parcheggiato la macchina
in un vicoletto nascosto e non so neanche se riu-
scirò a trovarla. Senti, bambina... Grazia. L'Iguana adesso è nudo e deve uccidere ancora. Quando
si è spogliato, si è spogliato per aspettare il cieco,
quindi vai a chiuderti nella pensione e sta' attenta che nessuno ti segua.

Le strinse una guancia tra le dita, le disse: – Ciao
bambina – e si allontanò in fretta.

Grazia rimase a guardarlo finché non scomparve dietro l'angolo e per l'ultima volta cercò dentro di sé un po' di quel solletico che non sentiva
piú. Poi si strinse nelle spalle ed entrò nel negozio
di dischi.

Al telegiornale sembrava piú giovane.

Ma non importa.

Lo osservo mentre svolta per i vicoli e si sporge in mezzo alla strada per guardare le file di auto parcheggiate, sempre piú nervoso. Alla fine trova la sua in fondo a una strada chiusa, quasi nascosta dietro un'impalcatura di legno. È lí che gliel'ho vista mettere questa mattina, quando ho iniziato a seguirlo finché quella ragazza non se ne è andata e lui è rimasto solo, perché non la voglio, quella ragazza, mi fa paura.

Lo seguo anche ora.

A distanza, perché non si accorga di me, nascosto dalle colonne dei portici, schiacciato contro i tubi delle grondaie, arrugginiti e incrostati di merda di piccione. Poi accelero il passo, mi avvicino, allungo le braccia e lo tocco su una spalla.

Le chiavi gli cadono di mano.

– Che cazzo... – dice, poi si blocca a fissarmi.

La prima cosa che guarda sono le cuffie che ho sulle orecchie e quando le nota vedo che gli occhi gli si stringono un po'. Ma si allargano subito, stupiti, appena si abbassano sul resto di me.

Sono nudo.

Nudo con le manette ai polsi.

– Il commissario Poletto? – gli chiedo. Lui annuisce, rapido. Alza la mano verso la falda dell'impermeabile ma si blocca, esitante. Fa correre lo sguardo lungo tutta la strada, alle finestre sbarrate delle case, ai portici deserti, all'impermeabile e alle scarpe che mi sono lasciato dietro e poi torna su di me. Per un attimo penso che abbia notato l'animale che mi si è mosso sotto la spalla, anche se sto cercando di tenerlo fermo con tutte le mie forze. Invece guarda il mio corpo nudo e depilato, guarda la mia testa rasata, guarda gli anellini che mi brillano agli angoli degli occhi, guarda le cuffie e il walkman che tengo appiccicato al fianco con un pezzo di nastro adesivo. La mano alzata si infila piú decisa dentro l'impermeabile.

– Ti ho visto al telegiornale, – dico. – Sono venuto a costituirmi. Sono l'Iguana.

La mano esce da sotto l'impermeabile e mi punta addosso una piccola pistola nera. Lui fa un passo indietro e si guarda attorno, come se non sapesse che cosa fare. Sembra spaventato e io alzo i polsi ammanettati per tranquillizzarlo.

– Fermo! – dice. – Se ti muovi ti sparo!

Spinge il mazzo di chiavi verso di me, con la punta del piede.

– Apri la macchina, – mi dice, ma io l'ho già fatto, mi sono piegato sulle ginocchia, ho preso il mazzo di chiavi con le mani unite e sto aprendo la portiera. Poi mi infilo dentro, facendo scivolare il mio sedere nudo sulla pelle del sedile posteriore. Entra anche lui, dietro, blocca le serrature con il telecomando delle chiavi ma è cosí nervoso che spinge troppo e deve rifarlo due o tre volte. Quando ci riesce, appoggia la schiena alla portiera e si morde un labbro. La pistola nera è sempre puntata su di me. La tiene a due mani e un po' gli trema.

– Non voglio farti niente, – gli dico. – Mi sono messo le manette apposta. Mi sono spogliato nudo perché cosí vedi che non ho armi.

– Stai fermo. Tu pensa solo a stare fermo. Se ti muovi, se ti avvicini, ti sparo.

Sto fermo. L'animale striscia lento lungo la mia pancia, cosí sotto che quasi non si vede. L'osso del naso pulsa sotto la mia pelle ma non esce. Le campane stanno giú, sotto la musica del walkman, *don, don, don* e mi scivolano lungo le labbra, *don, don, don*...

– Rispondi alle mie domande. Mi hai visto al telegiornale?

– Sí.

– Quale?

– Quello dell'una e mezza.

– Hai ucciso tu la signora Martini?

– Sí.

– Come?

– L'ho uccisa.

– Come?

– L'ho uccisa. Perché me lo chiedi?

– Perché in questo momento ho una paura fottuta ma non so se tu sei l'Iguana o un mitomane nudo e in manette. Ecco perché.

– Non sono un mitomane. Sono io. Sono l'Iguana.

Mi guarda ancora. Stringe gli occhi, mordendosi il labbro cosí forte che gli vedo una macchiolina rossa tra i denti. Forse ha visto il mio naso che si muove avanti e indietro, tirandomi la pelle sugli zigomi in tante pieghe sottili, come il dito di un guanto di gomma. L'animale no, non può averlo visto. Ce l'ho in bocca, fermo sulla lingua. Gli sento battere il cuore, *don, don, don*. Batte come le campane.

– Porti le cuffie, – dice lui, muovendo appena la canna della pistola verso la mia testa. – Perché?

– Per coprire quello che sento dentro. Dentro la testa.

– E cosa senti?

– Sento le campane.

Smette di mordersi il labbro. Spalanca gli occhi e mormora: – Cristo! – abbassando anche la pistola. Poi la rialza subito, schiacciandosi ancora di più contro la portiera. Respira forte, tra i denti stretti, ma mi guarda in un altro modo, sempre spaventato però più intenso, più fermo. Più curioso.

– Okay, – dice, – okay, va bene... sei l'Iguana. Adesso ti porto via con me... non so come ma lo faccio, Cristo, basta che stai fermo, Cristo, fermo se no ti sparo...

Sobbalza all'improvviso, con un gemito e vedo il dito che si tende sul grilletto, ma non capisco perché. Poi, il ricordo di uno schiocco leggero, perso nella musica che mi riempie le orecchie, mi fa abbassare lo sguardo al walkman.

Il nastro si è bloccato e ha fatto scattare il tasto dello stop.

La musica continua a riempirmi le orecchie, scorticandomi i timpani poi mi accorgo che è finita e allora cessa di colpo.

LE CAMPANE.

Sbatto la testa all'indietro, contro il finestrino e continuo a batterla a ogni rintocco che mi esplode nel cervello, *don, don don*, sempre più forte. Lui urla: – Fermo! Ti sparo! Fermo! – ma io non ci riesco e sbatto, spinto indietro dai rintocchi che mi sfondano la fronte, sbatto e sbatto finché non sento lo schianto, dietro, del vetro che si incrina.

Mi strappo le cuffie dalle orecchie e le campane adesso suonano fortissimo, DON, DON, DON, e urlo anch'io e mi copro le orecchie con i gomiti perché ho i polsi incatenati e dico: – Mamma, mamma! – e lui urla: – Fermo, fermo! Ti sparo, cazzo! – ma non spara, punta la pistola, non spara e mi ascolta.

Io urlo: – Mamma! – Mi schiaccio i gomiti sulle orecchie e urlo: – Mamma! Mamma sento le campane!

– Quali campane? – dice lui. – Come sono le campane? Cristo! Autoipnosi! Cristo! Dimmi come sono le campane?

Spalanco gli occhi. Le palpebre mi si arricciano, si arrotolano all'indietro e i bulbi oculari si gonfiano come se volessero schizzare fuori, spinti dalle lacrime che mi inondano le guance come un acquario che scoppia. Il labbro di sopra preme su quello di sotto e lo schiaccia in giú, sul mento, mi allunga la faccia fino al petto e la voce mi esce da un buco, stretta e squillante, come l'urlo del feto di un delfino.

– Mamma! Sento le campane! Mamma! MAMMA!

Mi scuoto sul sedile, stringo le braccia attorno alle orecchie e mi scuoto sul sedile, sbattendo contro il vetro e contro lo schienale di pelle. Tremo e urlo tra i denti stretti, ma le campane non smettono, DON, DON, DON, non smettono, non smettono.

Lontana, la sua voce che mi punge il cervello.

– Fermo! Stai fermo! Non ti muovere e dimmi dove sei? Chi sei adesso? Chi sei?

Urlo. La bocca mi si apre e inghiotte quasi tutto il mio viso, schiacciandomi gli occhi contro la

fronte. La voce mi esce gonfia e cupa, mi riverbe-
ra nella gola come nel fondo di una caverna nera.

   – Quel bambino mi fa venire i brividi, Agata!
Quello non è normale! Io non ce lo voglio in casa! O me o lui! O me o lui! O me o lui!

   – MAMMAAA!

La bocca mi si chiude, le labbra mi si piegano in
fuori e la voce mi si stringe in uno strillo cosí acuto che i vetri della macchina esplodono in una cascata di schegge bianche.

   – Perché? – chiede lui, lontano, lontano. – Perché non vogliono Alessio? Non ti muovere, non ti
avvicinare o ti sparo! Chi non vuole Alessio? Perché?

   – L'uomo grida con la mamma. Io sono a letto
nella mia stanza ma di là si sente sempre tutto lo
stesso. L'uomo grida con la mamma. Dice *quel
bambino rompe il cazzo, Agata! E sempre fai piano
se no ci sente, fai piano se no ci sente! Te ne devi li-
berare, Agata, o me o lui!* Dice *te la ricordi l'altra
notte? Te lo ricordi quando stavamo scopando e
all'improvviso si spalanca la porta della camera ed
entra questo bambino in mutandine e canottiera che
urla* MAMMA, MAMMA! SENTO LE CAMPANE! *Mi mette
i brividi, Agata! Mi fa paura! Questo bambinetto piccolo piccolo, con le mani schiacciate sulle orecchie,
che piange e strilla allucinato* MAMMAAAAA!

Urlo ma la voce mi si perde nei rintocchi che
schiantano la macchina e piegano il telaio, schiacciando il tetto su di noi. Voglio scappare, voglio
uscire ma lui grida: – Non ti muovere, cazzo, no!
– e allora io alzo le mani e gli faccio saltare via la
pistola.

   Poi la pelle mi si spacca all'improvviso, si ritira
sulle ossa, come gomma, e il naso mi esce fuori di

colpo, trascinandosi dietro il resto della faccia. Scatto in avanti e prima che lui riesca a muoversi gli pianto il mio becco in un occhio.

Dopo, mi accorgo di avere sbagliato.

Volevo soltanto consegnarmi a lui perché mi portasse dal cieco che può vedermi dentro.

Adesso però è tardi.

Guardo nella sua borsa. Cerco un biglietto da visita, un foglietto, un indirizzo su una busta, un bloc-notes. Frugo nei suoi vestiti e trovo un telefonino. Nel tirarlo fuori dalla tasca tocco un pulsante, uno qualunque, per sbaglio, e il telefono si accende, con una lucina che schizza di riflessi verdi l'interno rosso della macchina.

Compone da solo l'ultimo numero chiamato da qui.

Risponde una voce. Io l'ascolto e riattacco.

Poi scivolo davanti, al posto di guida, e accendo i fari perché intanto si è fatto buio, ma non vedo niente lo stesso. Allora mi asciugo le mani sulle gambe e aziono il tergicristallo per togliere dal vetro quella nebbia densa e rossa che copre il parabrezza.

Ma non è fuori, la nebbia rossa.

È dentro.

– Pensione Fiore, San Lazzaro ... mi dica. Mi dica?
Pronto? Pronto? Pronto? Boh ... ha riattaccato.

Summertime.

Mi risuona in testa appena Grazia entra nella stanza di fianco ma non so se sia perché ho sentito i suoi passi attraverso la porta aperta o perché il suo odore mi manca tanto da superare quello degli spaghetti al sugo che ho accanto e che non ho mangiato.

La sento parlare.

– Diglielo anche tu in portineria. Da questa parte sale solo chi è autorizzato. E in ogni caso, su il telefono e chiamare qui in camera per avvertire. Okay?

Sento Cento Lire che grugnisce. Lo sento che va verso la porta d'uscita dell'altra stanza e sento la porta che si chiude. Sento Grazia che sospira. Sento le molle del letto che cigolano, poco, come se si fosse seduta soltanto sul bordo e sento la fibbia dei suoi scarponi che tintinna. Sento i lacci che frustano il cuoio, sfilandosi dai buchi, e sento il tonfo pesante di una suola lanciata lontano.

Grazia si tolse anche l'altro anfibio, poi inarcò la schiena, incrociò le braccia dietro la nuca e si slacciò il reggiseno, liberando il gancio da sopra la stoffa della maglietta. Stava per abbassare le bretelline e sfilarselo dalle maniche quando lan-

ciò un'occhiata a Simone attraverso la porta tra
le due singole comunicanti e sorrise. Pensò che tra
i vantaggi di stare assieme a un cieco c'è proprio
quello di potersi mettere in libertà senza pudore,
cosí afferrò l'orlo della maglietta e se la sfilò tirandola via da sopra la testa. Poi si tolse il reggiseno e già che c'era lasciò scivolare anche i jeans
lungo le gambe, indecisa se liberarsi pure dei collant. Li tenne, invece, recuperò la maglietta dal
pavimento e se la infilò cosí a rovescio com'era.
Poi si avvicinò allo specchio sopra il cassettone,
girò la testa da una parte e dall'altra e cominciò a
passarsi le dita aperte tra i capelli, per sistemarli.
Allora le venne di nuovo in mente Simone, Simone che non poteva vederla né in mutande né
spettinata, ma lei si vergognava lo stesso e cercava lo stesso di farsi bella. Restò un po' con le labbra strette e la fronte corrugata, poi chiuse gli occhi e sorrise.

Sento Grazia che si avvicina. Sento lo striscia-
re azzurro delle sue calze sulla moquette della stan-
za. Sento il suo odore vicino a me, odore di olio,
di nylon, di cotone, quello piú forte della pelle e
summertime.
Si siede sul bracciolo della mia poltrona e la sua
pelle fresca e ruvida di calze mi sfiora le nocche
della mano che ci tengo sopra. La ritiro in fretta.
Dice: – Non hai mangiato niente.
– No.
– Non hai fame?
– No.
– Ti ho portato una sorpresa. La vuoi sentire?
– No.
Si alza e appoggia qualcosa sul tavolo. Strappa

veloce, cellophane sottile, come quello dei pac-
chetti di sigarette che fumava mia madre. Vorrei
pensarci, a mia madre, ma ancora non ci riesco, è
tutto il giorno che evito di farlo. E poi, c'è un altro rumore che mi distrae. Lo conosco e so che è
lo sportellino di un registratore che si chiude di
scatto.

Il pianoforte. Il primo accordo isolato e subito
il sospiro trattenuto delle spazzole sulla batteria.
Soltanto un giro, brevissimo, con le note del piano che sembrano gocce d'acqua, poi quella voce
diversa, piú chiara, ma lenta, che canta *Almost
Blue*. Mi mancava, qui dentro. Dio come mi mancava. Anche lei, anche Grazia, tutte e due. Ma ho
paura. Mia madre è morta e questa *Almost Blue*
non è quella che conosco io.

– Non ce l'avevano quella di Chet Baker che mi
hai fatto sentire, – dice Grazia. – C'era in CD ma
io avevo solo un registratore a cassette. Questa è
la versione di Elvis Costello. Tra l'altro, nelle note di copertina c'è che l'ha scritta lui, *Almost Blue*.
Lo sapevi?

– No. Non le leggo le note di copertina. Io ascolto e basta.

Grazia dice: – Ti dispiace se parlo?

– Sí.

– Ti dispiace se sto qui con te?

– Sí.

– Perché?

– Perché voglio stare da solo e in silenzio.

– E allora stacci da solo e in silenzio.

Grazia fece un passo in avanti, allungò un braccio e spense il registratore. Poi si allontanò fino alla soglia della camera, si appoggiò allo stipite, in-

crociò le braccia sul petto e stette a guardarlo, immobile e silenziosa.

Anche Simone rimase cosí, immobile e silenzioso, affondato nella poltrona, una mano sul bracciolo e l'altra in grembo, chiusa a pugno. Il mento appoggiato sul petto e la bocca serrata, il labbro di sotto sopra quell'altro, in una smorfia infantile. Gli occhi chiusi, uno un po' piú aperto, a dargli quell'espressione asimmetrica, storta.

Immobili e silenziosi.

Grazia, immobile, come se non esistesse piú, silenziosa come se non fosse mai esistita, lontana, oltre l'odore degli spaghetti al sugo. Guardava Simone. Guardava Simone e basta e continuò a guardarlo anche quando lui alzò la testa, come ad annusare quel silenzio cosí vuoto, senza neppure *Almost Blue* a riempirlo, e continuò a guardarlo quando disse: – Grazia? – la prima volta, piano, quasi sottovoce e: – Grazia? – la seconda, piú forte, con una punta d'ansia e: – Grazia, dove sei? – piú forte ancora e quasi spaventato, e allora lei sciolse le braccia e si staccò dallo stipite con uno scatto.

All'improvviso la sento vicinissima. Sento il suo odore e il calore della sua pelle davanti al mio volto e poi sento le sue labbra sulle mie. Tiro indietro la testa, ma le sue mani mi scivolano dietro il collo e mi spingono verso di lei.

Comincio a tremare. Non vorrei, ma tremo mentre le sue labbra si muovono morbide sulle mie, tremo quando le sue dita mi scendono dentro il colletto della camicia, quando si siede di traverso sulle mie ginocchia, quando mi prende una mano e la guida sotto la maglietta e io sento la pelle calda e liscia del suo fianco.

Poi si sfila la maglietta e summertime mi sommerge, fortissima, tanto che non sento piú niente, soltanto il suo respiro e il ronzio delle sue calze che scivolano via mentre scalcia veloce su di me. Resto con le mani ferme sui suoi fianchi, ma lei mi prende i polsi e li solleva e io sento tra le dita la curva rosa dei suoi seni e la punta azzurra dei capezzoli e lei che dice: – Stringi – in un sussurro, tra le labbra. Si china su di me con un gemito e io me la sento tutta attorno, il suo odore e il suo calore, l'odore acre e intenso della pelle e il calore dolce delle spalle e dei seni che si schiacciano contro di me, la pressione umida della sua bocca e della lingua che scivola calda tra le mie labbra e quel brivido elettrico quando tocca la mia. Mi slaccia la cintura dei calzoni, rapida, me li abbassa e sento le sue cosce che mi stringono le gambe e la sento che scotta umida sulla stoffa delle mie mutande quando per un attimo si appoggia, tesa all'indietro a sfilarmi i calzoni.

– È la prima volta, – mormoro e sento che sorride, vicina.

– Per me no, – dice. – Ma quasi.

Inarco la schiena quando mi tocca, mi contraggo in uno spasmo quando mi prende e gemo assieme a lei quando me la sento sopra e attorno, umida, morbida e bollente, e spinge e mi stringe e allora aggancio le mie mani alla sua pelle sudata e sempre tremando, credo, stringo e spingo anch'io.

Quando sento la sua bocca ansimare veloce sulla mia, apro le labbra e cerco la sua lingua.

– Non tremi piú, adesso?
– No.
Erano stesi sul pavimento. Grazia si era messa

la camicia di Simone e aveva mormorato: – Un classico, – mentre se la infilava. Simone era rimasto supino, nudo, la testa piegata indietro sulla moquette e le braccia aperte, come in croce. Grazia aveva detto: – Non ti posso vedere cosí, – gli aveva passato un braccio dietro la nuca e si era stesa su di lui, una gamba di traverso sulle sue. Poi gli aveva preso una mano e se l'era appoggiata sul volto.

– Non vuoi sapere come sono fatta? – gli chiese.

– No. Non mi importa.

– Dovrei essere abbastanza carina e ho un piccolo neo sul labbro che dicono sia molto sensuale. Toccalo.

Gli sollevò un dito e se lo fece scorrere sulla bocca, sul neo e poi giú, sulle labbra, che chiuse sul polpastrello, baciandolo.

– Di solito non mi piace toccare la gente… – disse Simone.

– Neanche me?

– No… te no. Però, senti, Grazia… non mi chiedere cose che non capisco. I lineamenti, l'armonia del corpo, il colore degli occhi o dei capelli… non lo so, non li posso vedere, non mi importa niente. Ho colori miei e forme mie. Se fosse solo che ti tocco con le dita, finirei per sentirti a pezzi e non mi va, anche se certi pezzi mi piacciono molto.

Fece scorrere la mano sulla spalla di Grazia, giú lungo la schiena, sopra la stoffa della camicia e poi sulla curva fresca della natica e dentro, con le dita, dove era ancora calda tra le gambe. Grazia gemette, rapida, un labbro stretto tra i denti.

– Per me sei tutta assieme. Sei un odore. Un suono. Sei tu.

– E che odore sono?

– Olio lubrificante, sudore, cotone fresco e summertime.

– Detto cosí non sembra un granché.

– È bello, invece... a me piace. Ma tu vuoi sapere come ti immagino. E allora te lo dico, perché lo so come sei fatta. Hai la pelle cosí trasparente che ci puoi passare attraverso con le dita, e i capelli blu.

Grazia rimase in silenzio. Fece scivolare la pianta del piede sulla gamba di Simone per qualche secondo, poi si strinse nelle spalle e lo baciò rapida su una guancia.

– Non so cosa vuol dire ma suona bene. Vado a fare la doccia.

*– Commissario Poletto. Mi dice dove sta la signo-
rina col cieco, grazie... Oh, quello è un taglierino, giusto? Posso chiederle una cortesia? Me lo presta, per
favore?*

Grazia fece scorrere la porta della doccia e si affacciò oltre il vetro. Gli occhi chiusi per la schiuma dello shampoo, si sporse per quanto poté e tese le orecchie.

– Mi hai chiamato? – disse.

Aveva lasciato la porta aperta, sia quella del bagno che quella tra le camere, ma lo scroscio della doccia era cosí forte e cosí violento nella cabina di vetro smerigliato che faceva fatica a sentire la sua stessa voce. Le era parso di percepire un rumore, una stonatura nella cascata calda che stava facendosi scorrere addosso e per un attimo aveva pensato al telefono. Uscí dalla cabina, in punta di piedi e, attaccandosi al lavandino per non scivolare, prese la pistola che aveva lasciato sul bordo del bidet e si affacciò alla porta, stringendo gli occhi per il bruciore.

Simone era in camera sua, ancora nudo, seduto sulla poltrona, e da come muoveva la testa sembrava ascoltare una musica che lei, da laggiú, non riusciva a sentire.

Tornò sotto la doccia, ma prima di chiudere la porta scorrevole prese un sacchetto di plastica, uno di quelli col nome dell'albergo e la scritta «per favore, non gettate assorbenti nel w.c.», ci infilò dentro la pistola e la mise sul ripiano di metallo,

accanto allo shampoo e al bagnoschiuma. Alzò la
testa e lasciò che l'acqua calda le investisse il viso,
troncandole il respiro, e le riempisse il naso, le
orecchie e anche la bocca, che teneva aperta sotto
il getto. Poi gonfiò le guance e spruzzò contro i
quadretti in rilievo del vetro smerigliato, come
aveva sempre fatto ogni volta che era stata sotto
la doccia, fin da quando era bambina.

Prese il bagnoschiuma e si strizzò un ricciolo di
gelatina verdastra sul palmo della mano. Quando
si passò le dita schiumanti di pino silvestre sul ventre e in mezzo alle cosce, prima le sfuggí un sorriso e poi le venne in mente Vittorio. Che avrebbe
detto? Come glielo avrebbe detto? Quando?

Qualcosa si mosse oltre il vetro della porta.
Un'ombra chiara e familiare, squadrata dalle falde
di un soprabito col colletto alzato. Istintivamente,
Grazia mise la mano sul sacchetto con la pistola,
mentre con l'altra faceva scorrere la porta.

Disse: – Vittorio! – con un sospiro tronco. Poi
l'ombra si mosse e la colpí alla testa con uno
schianto che la tirò quasi fuori dalla doccia.

L'ho presa.

La guardo cadere con le mani sul pavimento.
Cerca di sollevarsi aggrappandosi al bordo della
vasca ma le gambe le scivolano sotto la doccia.

Le tiro un calcio in un fianco che la fa gemere a
bocca aperta, poi mi piego su un ginocchio, prendo il sacchetto che ha lasciato cadere a terra, lo
tengo in mano per sentire se pesa abbastanza e con
quello la colpisco in testa.

Mi spoglio nudo, con calma.

Mi tolgo i vestiti ed entro anch'io sotto la doccia.

Lascio che l'acqua mi scorra sulla testa rasata e sulle cuffie, lascio che scivoli sul mio corpo depilato fino al walkman che mi penzola tra le gambe e che sfrigola, inceppandosi.

Le chitarre e la voce si allungano, veloci, serpeggiano fulminei nelle mie orecchie come la lingua di un rettile, una raffica elettrica di pioggia, un tuono isterico che rotola sempre piú vicino, un lampo che attraversa il cielo come un urlo acutissimo.

I want take no prisoners, no spare no lives... nobody's putting up a fight... non prenderò prigionieri, non rispamierò vite, nessuno eviterà la battaglia... *I got my bell, I'm gonna take you to hell... I'm gonna get you, Satan get you...* ho preso la mia campana, sto per portarti all'Inferno, sto per venirti a prendere, Satana ti prende...

Poi *Hell's Bells* si interrompe, il walkman tace e dentro di me restano solo le campane dell'Inferno.

Esco dalla doccia e mi guardo allo specchio.

L'animale mi corre velocissimo sotto la pelle, deformandomi la faccia. Gli occhi si svuotano e diventano due cavità nere. Le labbra mi si tendono sui denti in un ringhio cupo.

Dietro di me la ragazza si muove e mi tocca una caviglia.

Io mi giro, prendo il sacchetto pesante, mi chino ancora su un ginocchio e la finisco.

Questo passo non è quello di Grazia. Questi talloni nudi che sbattono sul pavimento, la pelle che si appiccica alle mattonelle, queste dita che strisciano sulla moquette, non sono le sue.

Questa non è Grazia.

C'è qualcuno davanti a me. Qualcuno che non parla, ma che odora e respira. Ho paura.

Ci sono gocce che cadono sulla moquette, lentamente. Ho paura.

Poi la voce.

Verde.

– Ciao. Ti ricordi di me?

Mi guarda ma non mi vede.

Mi guarda attraverso, mi guarda dentro ma non vede niente.

Spalanco la bocca, tiro fuori la lingua e gli mostro l'animale che si gonfia e gli sibila contro, ma lui non lo vede.

Gli vado vicino, metto la testa accanto alla sua, appoggio le mie orecchie alle sue orecchie per fargli sentire le campane, ma lui non sente.

Anch'io voglio essere cosí.

Voglio essere come te.

Voglio essere te.

Dice: – Guarda, lo vedi? – e sento che mi spalanca la bocca davanti, con un conato che lo fa tossire.

Dice: – Senti? Le senti le campane? – e mi preme il volto contro il suo, mi pianta le dita su una guancia per schiacciarmi l'orecchio contro il suo, freddo e bagnato.

Sento uno scatto, tanti scatti, come se qualcosa scorresse fuori da una superficie dentellata.

Dice: – Anch'io voglio essere cosí.

Dice: – Voglio essere come te.

Dice: – Voglio essere te.

Sento un odore di metallo vicino alla bocca.

HO PAURA.

Cos'è questa ragazza fredda e nuda che mi è saltata addosso? Da dove è uscita? Credevo fosse morta e invece mi si è attaccata ai fianchi e mi ha tirato sul pavimento. Credevo di averla uccisa e invece mi si avvinghia addosso, mi gira sulla schiena, ringhia come un animale e mi afferra alla gola. Credevo che non ci fosse piú e invece intreccia le sue gambe attorno alle mie, mi schiaccia a terra con il suo peso e mi stringe il collo con tutte e due le mani.

Soffoco. Non respiro. Sento i suoi pollici che mi premono sotto il mento, le dita che mi stringono dietro la nuca, la gola che si chiude, e non respiro. La prendo per i polsi, la graffio sulla schiena e sulle spalle, le spingo indietro il volto sporco di sangue, le tiro i capelli bagnati ma lei non molla, mi serra le gambe, mi aggancia le caviglie con i piedi, schiaccia la sua fronte sulla mia, mi stringe il collo e non respiro.

Apro la bocca. La lingua mi esce da sola tra le labbra. Se potessi farle vedere l'animale che ho dentro forse mi lascerebbe, ma ho le sue unghie piantate nella pelle come uncini, le sue dita che mi schiacciano la gola e l'animale è rimasto sotto e non può passare. Vorrei colpirla, vorrei farmi uscire il becco dalla faccia e ucciderla, ma la sua fronte bagnata di sudore preme sulla mia e non ci riesco. Sento il suo fiato caldo sulla mia bocca, sento che respira forte e allora spingo ancora piú in fuori la lingua e cerco anch'io di aspirare aria ma non posso perché lei continua a stringere e io non respiro, non respiro, non respiro.

Grazia continuò a stringere con tutte le sue for-

ze, anche se le dita le facevano male, anche se ci
vedeva doppio e non riusciva piú a tener su la testa, anche se aveva un velo striato di rosso su un
occhio. Ansimava per lo sforzo, le gambe e le braccia serrate per tenere l'Iguana fermo sotto di lei,
e continuò a stringere anche quando sentí la mano che le graffiava la schiena scivolarle dalle spalle e battere morbida sul pavimento e l'altra rima-
nerle immobile sulla guancia, le dita impigliate tra
i capelli. Stava per svenire, lo sapeva, e allora si
concentrò su quel gemito strozzato che le feriva
l'orecchio e strinse per spezzarlo e continuò a
stringere, finché le forze non le scivolarono via dalle braccia, le dita si sciolsero e quel velo bianco e
rossastro si fece piú spesso, fino a riempirle la testa rotta di una nebbia umida e densa. Svenne, le
mani ancora chiuse su quella gola ma senza piú forza per stringere, mentre la testa le scivolava giú
dalla fronte dell'Iguana e trattenuta dalla sua carezza inerte si appoggiava sul pavimento, lentamente e quasi con dolcezza.

Ho sentito uno schiocco freddo e molle, accanto a me, tonfi sordi e veloci di passi che mi gira-
vano davanti e poi lo strisciare ruvido di corpi nudi sulla moquette del pavimento. Rumore di corpi che lottano. Odore di corpi che lottano. Ho
sentito Grazia stringere i denti, ringhiare e ansimare come quando faceva l'amore e ho sentito un
lungo gemito a bocca aperta, un rantolo spremuto
fuori fino all'ultimo. Poi non sento piú nulla. Silenzio. Un silenzio totale che mi blocca in ginocchio sul pavimento, mentre tasto la moquette e ripeto: – Grazia? Grazia, dove sei?

Poi quel conato, quel rantolo corto e roco, spu-
tato fuori dalla gola. Un ringhio da animale.

Da animale ancora vivo.

Spingo da parte la ragazza, me la tolgo di dosso
e tiro indietro il braccio, scuotendo la mano per
scioglierla dai suoi capelli.

Mi ha quasi ucciso, ma è svenuta prima e adesso potrei farlo io ma non importa perché tanto farò
in fretta.

Il cieco che mi guarda dentro è in ginocchio per
terra, con le mani tese a grattare l'aria attorno a
sé. Si ferma quando sente che mi alzo, si blocca,
immobile, quando mi volto sulla pancia e mi sollevo, dritto davanti a lui.

Raccolgo il taglierino che mi è caduto di mano
sotto l'assalto della ragazza e senza dire una parola giro intorno al cieco, mi fermo alle sue spalle.

Lui si irrigidisce quando lo prendo per i capelli
e gli tiro su la testa, quando gli faccio drizzare la
schiena contro le mie gambe e gli stringo la nuca
tra le cosce, per tenerlo fermo.

Le campane, adesso, battono come non hanno
mai fatto prima. Mi martellano dentro, mi fanno
pulsare i timpani nelle orecchie, mi fanno schizzare gli occhi fuori dalle orbite con rintocchi a
morto che mi scuotono la testa sul collo.

L'animale corre impazzito, sollevandomi la pelle del volto. Mi deforma la faccia, mi gonfia le labbra e la fronte, mi sposta la mascella, tanto che
quasi non riesco a parlare.

Dico: – Anch'io voglio essere cosí, – mentre gli
accarezzo i capelli e lo tengo stretto tra le cosce.

Dico: – Anch'io voglio essere come te, – men-

tre lo blocco con una mano sotto il mento perché
non mi scappi all'improvviso.

Dico: – Anch'io voglio essere te.

Poi mi appoggio il taglierino sugli occhi, stringo forte le palpebre sulla lama e tiro.

Dio, quell'urlo! Non dimenticherò mai quell'urlo che sento sopra di me e che non sembra l'urlo
di un uomo – è un urlo verde, verdissimo, che gratta sul soffitto e rimbalza impazzito sulle pareti
riempiendo la stanza e continua, mentre le dita mi
stringono il mento, mentre le cosce mi premono
contro la nuca, mentre gocce calde e dure mi cadono sulla faccia dall'alto, continua, acutissimo, si
spacca nella gola e stride come se strisciasse contro la punta dei denti e continua, continua come
se non dovesse finire mai piú.

Dio, quell'urlo!

Sotto le mie suole, il raschiare dell'erba appena tagliata, appuntita e dura.

Verde.

Sopra la mia testa, l'odore fresco e aperto del cielo d'estate.

Blu.

In mano, una mela liscia, rotonda e grossa.

Rossa.

Allungo il braccio e lo muovo finché non sento sotto le dita il contatto freddo dello schienale della panchina. Faccio scivolare la mano sulla vernice screpolata e con la gamba cerco il sedile, seguendone il bordo finché non trovo l'angolo e posso calcolare la distanza giusta per sedermi. Scendo lentamente, prima con il palmo della mano e poi con il resto ma quando tocco le liste di ferro la mela mi sfugge e allora mi blocco, immobile, senza respirare, le orecchie tese per sentire dove cade prima ancora che tocchi terra.

La sento, a sinistra, sull'erba. Rotola verso di me. Mi chino, allungo il braccio e la raccolgo al primo colpo. Ma subito mi alzo e mi allontano, tastando l'erba con la punta del piede, perché ho sentito avvicinarsi delle voci.

Non voglio parlare con nessuno, non voglio

ascoltare nessuno. Soprattutto quella poliziotta che ha chiesto di vedermi appena possibile.

Voglio restare solo.

Piú tardi, salirò in camera ad ascoltare un po' di musica.

Jazz.

Be-bop.

Chet Baker.

Mi hanno regalato un CD ma io avrei preferito un disco, perché con i dischi riesci a sentire i solchi sotto le dita e a puntare il brano, mentre i CD sono troppo lisci e non senti niente. E il lettore non ti aiuta, perché i pulsanti non sono in rilievo e hanno troppe funzioni combinate che io non riesco a trovare o a ricordare. Mi sono fatto ritagliare dei triangolini di nastro adesivo per segnare i tasti, ma finisce sempre che si staccano.

C'è quel brano che vorrei sentire e non so mai dov'è e di solito mi tocca ascoltare tutti gli altri prima di arrivarci.

Almost blu.

Blu.

Certe volte, quando lo ascolto, mi addormento sulla sedia, davanti alla finestra. Allora, se c'è il sole, è come se miliardi di piccolissimi ami da pesca mi agganciassero il volto, da fuori, e tirassero, perché ho la pelle molto chiara, mi dicono, e delicata, che si scotta subito.

Certe volte, quando vado a letto, il buio mi sembra piú buio del solito, perché capita che la lucina di sicurezza si sia fulminata e io la variazione luminosa, piccolissima, appena un riflesso, ancora la percepisco. Ma succede di rado, perché qui al manicomio giudiziario non si può spegnere la lucina di sicurezza, mai.

Certe volte, un brivido mi corre veloce sotto la pelle. Ma il dottore dice che non è niente, solo un po' di febbre dovuta al Serenase che mi fanno. Cinquanta mm, ogni quindici giorni.

Ma le campane, le campane dell'Inferno dentro la testa... ecco, quelle non le sento piú.

Il suono del disco che cadeva sul piatto era un sospiro veloce, che sapeva appena un po' di polvere. Quello del braccio che si staccava dalla forcella era un singhiozzo trattenuto, come uno schioccare di lingua, ma non umido, secco. Una lingua di plastica. La puntina, strisciando nel solco, sibilava pianissimo e scricchiolava, una o due volte. Poi arrivava il piano e il contrabbasso e dopo la voce velata di Chet Baker che iniziava a cantare *Almost Blue*.

Simone la sentí quando era ancora in fondo alle scale, perché anche se si muoveva silenziosa erano solo due giorni che era stata dimessa dall'ospedale, cosí doveva aggrapparsi al corrimano perché non le girasse la testa, e lo faceva scricchiolare.

Appena la sentí, spense lo scanner con un rapido colpo di pollice, dritto e sicuro, e abbassò anche Chet Baker, ma poco. Puntò i piedi a terra e fece girare la poltroncina, voltandosi verso la porta chiusa e puntandola come se la vedesse, appena un po' troppo spostato sulla sinistra.

Sorrise quando smise di sentirla, perché sapeva che Grazia stava cercando di fregarlo, come sempre, e si era seduta a metà scala per togliersi le scarpe. Ma la tradivano i lacci degli anfibi, la tradiva lo scricchiolio del gradino su cui si era seduta. La tradí lo scrocchio del ginocchio quando si alzò per continuare a salire, in punta di piedi e trattenendo il fiato.

Era già pronto a sentire il cigolio della maniglia, leggero come un sussurro.

Tra poco Grazia sarebbe entrata nella mansarda, con il suo odore di olio, sudore, cotone fresco e summertime. Con quella musica che l'accompagnava sempre e già aveva cominciato a risuonargli lieve nella testa.

Sapeva anche com'era fatta, Grazia, anche se non poteva vederla.

Aveva la pelle cosí trasparente che ci poteva passare attraverso con le dita, e i capelli blu.

Stampato per conto della Casa editrice Einaudi
presso Mondadori Printing S.p.A., Stabilimento N.S.M., Cles (Trento)

C.L. 14304

Edizione									Anno			
17	18	19	20	21	22				2004	2005	2006	2007

Einaudi Tascabili

Ultimi volumi pubblicati: